Embarazo

Embarazo

Guía práctica para padres

Gabriela Oria de Quinzaños

María Luisa Ruiz Díaz

EDITORIAL
TRILLAS

México, Argentina, España,
Colombia, Puerto Rico, Venezuela ®

Catalogación en la fuente

Oria de Quinzaños, Gabriela
    Embarazo : Guía práctica para padres. -- 2a ed. --
México : Trillas, 2019.
    219 p. : il. col. ; 23 cm.
    Título anterior: Buenos días, mamá. Guía práctica
para los padres que esperan un bebé
    Bibliografía: pp. 215-218
    ISBN 978-607-17-3647-5

    1. Padres e hijos. 2. Embarazo. 3. Familia. I.
Ruíz de Álvarez, María Luisa, coaut. II. t.

D- 649.10242'0769e   LC- RG661'07.2   2743

División Administrativa,
Av. Río Churubusco 385,
Col. Gral. Pedro María Anaya,
C. P. 03340, México, Ciudad de México
Tel. 56884233, FAX 56041364
churubusco@trillas.mx

División Logística,
Calzada de la Viga 1132,
C. P. 09439, México, Ciudad de México
Tel. 56330995, FAX 56330870
laviga@trillas.mx

Tienda en línea
www.etrillas.mx

Miembro de la Cámara Nacional de
la Industria Editorial Mexicana
Reg. núm. 158

Primera edición OA
ISBN 978-968-24-5254-3
(SR)
(Título anterior: Buenos días, mamá. Guía
práctica para los padres que esperan un bebé)

Segunda edición, mayo 2019
ISBN 978-607-17-3647-5

Impreso en México
Printed in Mexico

Esta obra se imprimió
el 31 de mayo de 2019,
en los talleres de
Grupo Industrial Monte Sion, S. A. de C. V.

EM 115 TW

Índice de contenido

Posparto   123

El bebé   147

Agradecimientos

Agradezco mucho haber tenido la dicha de nacer en una familia en donde mis padres me enseñaron a querer a Dios y a apreciar el valor de la familia; me enseñaron el amor, el respeto, la confianza en mí misma y el amor a los demás.

Tuve la dicha de tener a cinco hijos que me han llenado de felicidad.

Aprecio y agradezco a Dios el vínculo de un matrimonio feliz como el regalo más valioso que pude dar a mis hijos.

Con gran admiración y alegría estuve presente en el nacimiento de seis de mis 10 nietos, fue un privilegio acompañar a mis hijas a dar a luz y que todas ellas tuvieran partos naturales. Agradezco el apoyo, la presencia y el entusiasmo de mis yernos y doy gracias a Dios por estas experiencias inolvidables.

Agradezco a la vida mi profesión y a tantas parejas que he preparado a lo largo de más de 38 años y que han depositado su confianza en mí.

Gracias a mi hija Mercedes Álvarez Ruiz por sus ideas para esta nueva edición, y a los médicos y psicólogos que aportaron sus artículos para este libro.

MARÍA LUISA RUIZ DÍAZ

Agradezco a Dios que me haya permitido tener la satisfacción de ver publicada la nueva edición de EMBARAZO. GUÍA PRÁCTICA PARA PADRES, que me ha permitido poder comunicar muchas de las cosas en las que creo.

Dedico esta obra a Jorge, mi querido esposo, y a mis hijos Jorge, Bosco, Gabriela, Fernanda, Bernardo, Patricio e Inés, porque por ellos he sido madre. Mil gracias por sus lecciones de vida, su amor y su apoyo.

Gracias a todas las parejas de alumnos que he tenido desde 1978 a la fecha, porque me han motivado y enseñado, al permitirme acompañarlos durante sus embarazos por medio de los cursos de educación perinatal, y por haberme brindado la gran oportunidad de acompañarlos en el nacimiento de sus hijos y durante la etapa de lactancia.

Nuestro agradecimiento a Gisela Cordero (modelo) y a María Esesarte (fotógrafa) por su colaboración, así como a Mercedes Álvarez Ruiz por su apoyo incondicional.

GABRIELA ORIA DE QUINZAÑOS

Prólogo

La Familia, institución que tiene su origen en el encuentro amoroso de la primera pareja de seres humanos, ha superado las crisis de todos los cambios culturales y sociales de la historia. En estos momentos, la familia, como realidad antropológica y social, está experimentando una profunda transformación que afecta a los individuos, a los esposos, a los hijos, haciendo que sus relaciones interpersonales y sus roles en la sociedad resulten profundamente afectados.

La familia no puede contentarse con trasmitir los valores heredados tradicionalmente y repetirlos de un modo mimético. Hay que descubrir los nuevos cauces por donde transita la modernidad y el verdadero desarrollo de la humanidad, y saber trasmitirlos a los hijos. Hoy más que nunca los padres deben tener conciencia de que engendrar es educar. Ellos son los principales educadores de los hijos.

Quienes dan la vida a una persona, que es un ser llamado a crecer y a desarrollarse, asumen la obligación de ayudar a vivir una vida plenamente humana. Porque trasmitir la vida no consiste solamente en "echar hijos al mundo", sino también en darles aquellas capacidades y valores que les permitan vivir como auténticas personas.

La educación es la forma concreta y plena del amor paterno y materno. Hay que educar amando, es decir, con dulzura, desinterés, constancia y espíritu de sacrificio. La verdadera educación requiere la dedicación de los padres a cada uno de los hijos, no solo cuando surgen los problemas sino de un modo permanente. Cada hijo necesita la cercanía física y la atención constante de los padres. Los hijos deben costar, no solo dinero, sino mucho amor. Hoy es frecuente que los padres, para conseguir un mejor nivel de vida, dejen a los hijos sin lo que más necesitan: su presencia y su amistad.

Quizá sea este uno de los fallos más importantes en la educación familiar de nuestros días. Toda educación tiene como meta la formación de hombres y mujeres que sean capaces de discernir y asumir los riesgos de la vida con la suficiente madurez, y ser verdaderamente libres. Ello exige una larga etapa de aprendizaje en la que el hijo va aprendiendo a ser responsable de sus actos. Los padres tienen que acompañar ese proceso con el diálogo y la paciencia, procurando huir tanto de un autoritarismo receloso como de una actitud sistemáticamente permisiva.

Solo los esposos que se aman y que han aprendido a dialogar entre sí son capaces de educar a sus hijos y convertir el hogar en una escuela de amor, libertad, responsabilidad, convivencia y de valores trascendentes.

El consumismo, el capricho y el lujo que hoy tientan tan de cerca a muchos hogares, ahogan la dimensión trascendente del hombre y lo empobrecen como persona. En la familia debe gestarse la civilización nueva que valore más el ser que el tener, en la que el progreso se mida más por la calidad de vida que por la renta per cápita de sus habitantes.

Los padres y las madres del mundo, sin distinción de credo ni de raza, deben unirse para crear una nueva civilización del amor y la nueva cultura de la vida. Si la institución familiar naufraga, la humanidad habrá perdido su rumbo. Que el nacimiento de un hijo sea el compromiso de realizar un maravilloso proyecto: la persona.

P. Francisco de Miguel Gandarillas

Presentación

Para la mujer de hoy, prepararse para el parto implica asumir plenamente su rol materno, mediante el cual completa el ciclo biológico de su sexualidad.

El reto del embarazo permite a los padres estrechar los lazos afectivos y de comunicación que existen entre ellos, haciendo más profundas sus relaciones, que son la base de la familia.

Participar en esa preparación constituye el principal interés de Gabriela Oria de Quinzaños y María Luisa Ruiz Díaz, quienes como profesionales dedicadas a la educación perinatal, y sobre todo como madres, han abocado sus esfuerzos a sensibilizar a la pareja, a mejorar actitudes que valoren positivamente el embarazo, la maternidad, la paternidad y la formación de la familia.

Su labor consiste en proporcionar a las parejas que esperan un bebé conocimientos basados en la mejor evidencia científica acerca del embarazo, el parto y la lactancia materna; afianzar su seguridad y confianza; promover su armonía corporal, así como fomentar la toma de decisiones informadas y su participación activa en el parto y la crianza.

La educación perinatal disminuye de manera muy significativa la ansiedad y el temor. Durante este lapso, la mujer adquiere los conocimientos y las habilidades que necesita para enfrentar el parto normal sin intervenciones médicas de forma rutinaria, protegiendo al máximo a su bebé. Además sabrá cómo utilizar adecuadamente las técnicas de relajación, las medidas de confort así como las diversas estrategias de manejo del dolor sin medicación, buscando la salud y la experiencia más satisfactoria en su parto.

Deseamos que en estas páginas, los padres que esperan a su bebé encuentren respuestas a sus principales dudas e inquietudes respecto a cómo vivir el parto normal, natural y lleno de salud, revisando todo lo relacionado con:

- Embarazo
- Nacimiento
- Posparto
- El bebé

Acerca de las autoras

G<small>ABRIELA</small> O<small>RIA DE</small> Q<small>UINZAÑOS</small>

- Madre de siete hijos, seis de ellos nacidos por parto psico-profiláctico y uno por cesárea, y abuela de once nietos.
- Instructora en psicoprofilaxis perinatal por la Asociación Mexicana de Psicoprofilaxis Obstétrica (AMPO).
- Certificada como LCCE por Lamaze International.
- *Fellow* del American College of Childbirth Educators.
- Miembro del cuerpo docente de Lamaze International.
- Certificada como Doula por DONA International.
- Coordinadora académica de la Especialidad en Educación Perinatal de la Universidad Anáhuac de 1994 a la fecha.
- Miembro fundador y presidente de la Asociación Nacional de Instructoras en Psicoprofilaxis Perinatal (ANIPP) 1990-1994.
- Ha impartido cursos de educación perinatal a parejas gestantes en hospitales y en práctica privada de 1974 a la fecha.
- Instructora del Servicio de Psicoprofilaxis Obstétrica del Hospital Santa Teresa (1979-1995).
- Instructora en el Hospital ABC (1995-2000).
- Práctica privada de 2000 a la fecha.
- Fundadora de Nuestro Embarazo ‹www.nuestroembarazo.mx›.
- *Practitioner* de Creighton Model System de 2013 a la fecha.

María Luisa Ruiz Díaz

- Madre de cinco hijos y abuela de diez nietos, todos nacidos en el método psicoprofiláctico.
- Instructora acreditada por la Asociación Mexicana de Psicoprofilaxis Obstétrica (AMPO).
- Capacitación como Doula por la ENEO y la UNAM (1997).
- Certificada como LCCE por Lamaze International (1994).
- *Fellow* del American College of Childbirth Educators (1993).
- Ha impartido cursos de educación perinatal a parejas gestantes en hospitales y en práctica privada de 1981 a la fecha.
- Miembro fundador y presidente de la Asociación Nacional de Instructoras en Psicoprofilaxis Perinatal (ANIPP) (1994-1997).
- Instructora en el Hospital Maximino Ávila Camacho (SSA) (1980-1983).
- Instructora del Servicio de Psicoprofilaxis Obstétrica del Hospital Santa Teresa (1982-1995).
- Instructora en el Hospital ABC (1995-2000).
- De 2000 a la fecha prepara, en práctica privada, a parejas embarazadas.
- Presidenta de la Asociación Nacional de Instructoras en Psicoprofilaxis Perinatal (ANIPP) (2012-2019).
- Fundadora del Curso de preparación para el parto ‹www.cursopsicoprofilactico.com›.
- Coautora del libro *Buenos días mamá*, 1995.

Introducción

El presente libro trata sobre varios temas importantes del embarazo y de sus diferentes etapas. Instruye a la pareja. Les explica qué pasa y el porqué para mayor y mejor entendimiento…

> "Ambos sentirán respeto y aprecio mutuo…".

Vivir la maternidad con gozo es asumirla libremente. Conocer las etapas del embarazo y el maravilloso proceso del parto es una ayuda enorme para tomar decisiones libres y para luchar por realizar el proyecto más importante encomendado a la pareja humana: la formación de su familia.

Este libro contribuirá a que descubras que la mujer está dotada con la capacidad natural de dar a luz a sus hijos por medio de un parto normal, de amamantarlos, criarlos y educarlos. Que la mujer es muy fuerte y que tiene una gran capacidad de amar.

Humanizar el proceso del embarazo y la atención del parto es la propuesta que urge para el mundo de hoy, reconociendo y valorando la misión inigualable de dar la vida a nuevos seres humanos y el derecho de los padres a lograr una experiencia plena en los primeros pasos hacia la construcción de la familia.

Participar en la preparación para el parto de las parejas durante su embarazo es compartir con ellos los momentos excepcionales que experimentan ahora que esperan un hijo.

Creemos que la vida es maravillosa y que es un privilegio poder contribuir con el Creador, llevando un nuevo ser humano dentro y trayéndolo al mundo.

El reto del embarazo y el parto permiten a los padres establecer una relación más profunda entre ellos, cuando ambos se preparan para recibir a su hijo. El hombre demuestra que le interesa mucho lo que está sucediendo a la mujer que ama; que está profundamente involucrado con ella y con el bebé que han concebido.

Al estrechar estos lazos afectivos, se cimienta la intimidad de la familia, afianzando aún más la relación y la comunicación de la pareja. Esto les ayudará mucho a ambos a enfrentarse a la vida, con sus alegrías y sus retos, a salir adelante juntos en los momentos difíciles o de prueba, con valentía y con el gran amor que se tienen el uno por el otro.

Prepararse para el nacimiento de un hijo implica que la mujer asume verdaderamente su papel de madre.

Llegará al día del parto confiando en sí misma y con conocimientos que le permitirán dar a luz con dignidad, participando activamente en este proceso que la convierte en madre, experimentando una gratificación emocional tan importante que es imposible describirla con palabras.

El padre que se prepara disfruta y comparte con su mujer esta experiencia única y maravillosa del nacimiento de su hijo, será capaz de involucrarse sabiendo qué hacer, qué decir y cómo apoyarla. Ambos sentirán respeto y aprecio mutuo al demostrarse tangiblemente su amor. Se renovarán en ellos los sentimientos de ternura, admiración y cariño el uno por el otro y de esta manera nacerá una nueva familia.

"La riqueza de una familia y de un país somos sus integrantes, las personas que formamos a la familia y por ende a la sociedad misma, por ello, educar a las parejas para la maternidad y la paternidad es un gran privilegio".

Del ginecólogo

Nacer es un privilegio, quienes nos preocupamos por entender el fin de nuestra presencia en este mundo, a veces olvidamos que hemos recibido gratuitamente y sin esfuerzo un cuerpo del cual desconocemos la mayoría de las funciones, entre ellas, las que se relacionan con el fenómeno procreativo.

Independientemente de las creencias filosóficas sobre el origen de la vida, se requiere conjuntar de manera voluntaria, armónica y precisa a una pareja, a un hombre y a una mujer para que esa unión deseada fructifique con el nacimiento de un nuevo ser humano.

De ahí la necesidad de un libro como este, que oriente sobre los cambios que se suscitan en la madre, cuáles son sus vivencias, inquietudes y temores; de qué modo se inicia, transcurre y termina el parto; qué es el alumbramiento, la lactancia, cómo prepararse física y mentalmente para llevar un embarazo que termine en un nacimiento sin problemas; en qué forma ayudar al padre a que se involucre en un proceso que puede resultarle difícil asimilar, para que comprenda los cambios que ocurren en su mujer y que su apoyo es esencial para lograr la finalidad que se propusieron al desear un embarazo.

Las páginas de este libro son el producto de años de observación en una disciplina que no tiene otro interés que sensibilizar, educar y mejorar actitudes que transformen positivamente el proceso del nacimiento del ser humano, en beneficio de una mejor integración familiar.

A los médicos nos corresponde establecer un compromiso con la mujer que nos confía el cuidado del embarazo, y ayudar a la pareja a que viva plenamente ese momento tan especial de la vida, que culmina con el nacimiento de un nuevo ser humano.

Sin embargo, por múltiples circunstancias, en ocasiones el médico toma únicamente el frío papel del profesional que vigila el desarrollo del embarazo y atiende el parto. Por ello es conveniente que reflexionemos sobre nuestra actuación y si esta colmó las expectativas que la pareja tenía sobre el proceso de gestación y parto, es decir, si fuimos capaces de ganarnos su confianza, si escuchamos sus inquietudes sobre la evolución del embarazo y las necesidades derivadas del mismo, si supimos apoyarlos cuando nos necesitaron, si alcanzamos a conocer a la pareja y si fuimos capaces de valorar el esfuerzo que implicó la preparación para el parto. Si aceptamos el diálogo y fuimos accesibles en el momento de ingresar en el hospital, si nos preocupamos que fueran tratados cordialmente; si las exploraciones fueron cuidadosas y las mínimas necesarias, siempre acompañadas de información clara y concisa. También convendría que nos preguntáramos si respetamos la libertad de toda parturienta para caminar o adoptar posiciones o movimientos cómodos para ella durante su labor de parto.

Si aplicamos algún procedimiento injustificadamente, sin su consentimiento, si estuvimos presentes en el momento en que nuestra labor era necesaria. Si, en caso de tener que practicar una cesárea, explicamos las razones y tuvimos la certeza de que era la mejor opción.

Si procuramos un ambiente de tranquilidad en la sala de partos y permitimos que la madre adoptara una posición sentada adecuada para la expulsión; si recibimos con delicadeza al recién nacido y se lo dimos a su madre favoreciendo el contacto piel a piel.

Si valoramos la participación de la pareja en el parto y, sobre todo, si nos olvidamos de que solo gracias al médico el nacimiento resultó afortunado y participamos con alegría del privilegio de haber ayudado a recibir a un nuevo ser humano.

Recordemos que el embarazo y el nacimiento deben ser experiencias agradables que los padres tienen derecho a disfrutar, sin el obstáculo de restricciones obsoletas tradicionales que deberían desaparecer.

DR. JORGE KUNHARDT RASCH
Ginecólogo

"Sensibilizar, educar y mejorar actitudes...".

En memoria del
Dr. Manuel Dosal de la Vega

> "Dar a luz,
> privilegio de la mujer".

Con reconocimiento y agradecimiento, recordamos las palabras que el Dr. Manuel Dosal de la Vega nos escribió para este libro:

"Sentí una gran alegría cuando las autoras de *Buenos días, mamá* solicitaron mi contribución, porque es la oportunidad de dirigirme a ustedes, mujeres con vocación superior, que tienen metas reales para realizar su parto.

"A lo largo de muchos años, como ginecólogo y como ser humano, he recogido innumerables frutos y experimentado grandes satisfacciones al lado de las mujeres a quienes he atendido por medio del parto psicoprofiláctico, el cual sin temor a equivocarme reduce considerablemente la morbimortalidad maternoinfantil.

"Todas me han permitido gozar con ellas la más gratificante de las funciones humanas: ser madre. No es posible describir en unas líneas el maravilloso proceso de la función reproductiva. Esta experiencia solo la conoce la mujer cuando participa, con un alto nivel de conciencia, y vive su embarazo y su parto captando todos los detalles y gozando como futura madre.

"Parir puede ser una experiencia totalmente diferente si la mujer se propone disfrutar su parto y recibir a su hijo. Por eso en el parto hay que desarrollar, a partir de un acto biológico y físico, los goces espirituales y humanos que la función materna ofrece y que constituyen el privilegio de la mujer. Los partos conscientes no son experiencias excepcionales, ya que la mujer siempre ha parido así. Actualmente aún existen culturas que defienden esta forma de dar a luz y en México, a lo largo de mi trabajo profesional como ginecólogo, he compartido con muchas mujeres la experiencia profundamente humana de vivir sus partos psicoprofilácticos.

"Siempre sentí profunda pena cuando llegaban voces del materialismo tecnológico, que se opone a la verdadera educación que debe recibir la mujer para vivir con plenitud su función reproductiva.

"Debido a esta cultura de la supuesta modernidad tecnológica, es poco lo que algunas madres saben de sus partos porque no han tenido la experiencia de un parto verdadero y, por tanto, no pueden trasmitir a sus hijas que el dar a luz es un acontecimiento feliz y natural. Así las mujeres están perdiendo, poco a poco, la oportunidad de vivir y gozar el privilegio de parir en forma natural.

"También es difícil persuadir a los médicos de que los lamentos de sus pacientes podrían evitarse si ellos mismos entendieran el fenómeno del parto. Debemos ceder la palabra a las innumerables mujeres que han tenido partos psicoprofilácticos y que conocen sus bondades, sus voces siempre serán portadoras de la verdad.

"Es importante que la mujer exija respeto total a la normalidad de sus funciones, al entendimiento de lo humano en su desempeño de madre, al valor de la mente y a sus conceptos personales sobre la maternidad. Deben exigir respeto a su integridad de mujeres a pesar de influencias familiares, entornos culturales e intereses médicos.

"En la actualidad, la mujer se enfrenta a situaciones muy diversas: condiciones y grupos sociales variados, culturas e ideologías, y así como el desarrollo tecnológico, que nos induce a depender del dinero como instrumento de poder, en la búsqueda del bienestar económico. En medio de las diferencias, la maternidad es el común denominador en todas las sociedades humanas; lo único compartido tanto en el cuerpo como en el alma, por las mujeres de todas las razas, y credos.

"Considero que la educación perinatal y los médicos, conscientes de los valores de la mujer, contribuyen a que las parejas descubran su futuro, no por los caminos de la facilidad, sino por los del esfuerzo, el valor, la libertad y la verdad, cumpliendo su misión de padres, con gran gozo, y elevándola a los niveles más altos del espíritu humano".

Embarazo

La gran aventura del embarazo

¡Estás embarazada! ¡Un bebé vive en tu interior, qué gran sorpresa y asombro!

El momento en que el espermatozoide se fundió con el óvulo marcó el comienzo de la vida de una nueva persona humana: ¡tu bebé!

La presencia del bebé en tu interior produjo en tu cuerpo cambios fantásticos. El recubrimiento interior del útero, llamado endometrio, ya estaba preparado para acunarlo, recibirlo y alimentarlo, por ello no se desechó como ocurría cada mes y no se presentó tu menstruación. Esto fue el primer aviso que te hizo consciente de tu embarazo, sacudiéndote intensamente y llenándote de toda clase de sentimientos encontrados, de dudas, de temores y de preguntas.

> Opta por dejar vivir a tu bebé y cuídalo.

A veces te sentirás feliz, a veces triste, dudas si el bebé llegó en el momento adecuado, tal vez ya tengas otros hijos y te cuestionas cómo vas a organizarte, te preocupa tu situación económica, tu relación de pareja, los cambios en tu estilo de vida y tantas cosas más…

En ocasiones, el bebé llega inesperadamente, sin embargo, puede ser acogido por sus padres superando todas las adversidades. Te puedes sentir confundida y preguntarte si dejas vivir a tu bebé, alguien podría sugerirte si sería una opción para ti abortar… Ten presente que abortar a tu hijo es un crimen que terminará con su vida y a ti te hará sufrir para siempre, rechaza esta idea de inmediato, no te precipites, confía, existen caminos y soluciones dignas y bondadosas, además tienes suficiente tiempo para pensar y planear.

Si enfrentas alguna situación que tú no puedas resolver, acércate a tu familia y busca ayuda, defiende a tu hijo que vive en tu interior. Todas estas reacciones que estás experimentando son perfectamente normales porque el embarazo tiene un impacto en tu cuerpo y en tu espíritu, en tus emociones y en el entorno social y familiar que te rodea. Te estás transformando en madre a una velocidad vertiginosa y la naturaleza te conduce con gran sabiduría.

Tu primera tarea psicológica ante esta noticia, que sientes que te rebasa, es reconocer que cuando notaste que te faltó la menstruación, tu bebé ya existía y tiene dos semanas de vida desarrollándose de manera autónoma y continua.

Al comenzar su existencia se llamó cigoto (huevo fecundado) y al continuar su desarrollo llegó a ser un embrión que al cumplir las primeras ocho semanas está totalmente formado. Tiene una diminuta cabecita, ojos, nariz, boca, brazos, piernas, órganos internos y un corazón que late evidenciando su vitalidad.

Las primeras 12 semanas corresponden al primer trimestre del embarazo, tiempo delicado en el que la mujer reconoce y acepta su embarazo tanto biológica como psicológicamente pues el embarazo siempre llega sorprendiéndonos. Por medio de un ultrasonido puedes ver que tu bebé se mueve libremente dentro de ti, dando vueltas y saltos aunque todavía no puedes sentir sus movimientos y ya mide siete centímetros.

Si bien es cierto que a veces cuesta mucho trabajo aceptar el embarazo, lo que es una certeza es que tú puedes decidir acoger a tu hijo y estás naturalmente capacitada para hacerlo, incluso cuando existan circunstancias personales, sociales o familiares adversas. Y es que la mujer es muy fuerte y puede usar su libertad y su voluntad para realizar un plan para recibir a su hijo y enfrentar con valentía y coraje sus circunstancias.

Durante el segundo trimestre, la aceptación del embarazo se habrá consolidado, te sentirás físicamente fuerte y saludable. Es el momento de prepararte más a fondo para recibir a tu hijo. Requerirás información, conocimientos y educación para poder tomar decisiones informadas, libres y asertivas sobre el cuidado de tu embarazo, el nacimiento de tu hijo, su alimentación y crianza.

Podrás hacer planes concretos para recibir a tu hijo y lograr tener el sistema de apoyo familiar e institucional necesarios para realizar dignamente tu misión de madre.

Prepárate, asiste a los cursos de educación perinatal, prepárate para el parto y la lactancia, deja atrás el temor y asume tu maternidad con gran amor, dando lo mejor de ti misma.

Eres mujer, eres fuerte, eres capaz de dar a luz a tu hijo y de asumir tu maternidad con gozo y confianza. Eres capaz de recibir a tu bebé y amarlo. Recuerda que el bebé que esperas siempre te amará a ti de manera incondicional porque tú eres su mamá.

NUTRICIÓN DURANTE EL EMBARAZO

Q. A. Ma. Elena Cañizo Suárez, LCCE

En ningún momento de nuestras vidas es tan importante lo que hacemos como en el embarazo, ya que el bienestar de otro ser, nuestro bebé, depende directamente de nosotras las mamás. La alimentación de la mujer embarazada es uno de los factores que influyen en el crecimiento y desarrollo adecuado del bebé, así como en el buen término del embarazo, favoreciendo un parto sin complicaciones y una mejor recuperación.

Para empezar es muy importante tu estado nutricional, es decir, cómo ha sido tu alimentación durante tu vida; de tu peso pregestacional dependerá cúanto será la ganancia de peso adecuada para un embarazo saludable pero, independientemente de esto, debes llevar una alimentación correcta, es decir, equilibrada y completa, que contenga hidratos de carbono, proteínas y grasas en las proporciones recomendadas. También ha de ser variada, comiendo diferentes alimentos para lograr mejor aporte de diversas vitaminas y minerales. Tu alimentación debe ser adecuada y suficiente, es decir, comer alimentos de buena calidad en las cantidades correctas para que no les falten nutrimentos ni a ti ni a tu bebé, pero que tampoco te sobren provocando retención de peso excesivo en el posparto. Es importante que tu dieta sea inocua, prefiere alimentos frescos y naturales, libres de contaminantes que te puedan causar daño.

No hay alimentos "malos", solo en el caso de intolerancias o alergias, hay que evitarlos, pero si tú comes bien, lo que te cae bien a ti, le cae bien a tu bebé también.

Son muy importantes las porciones de alimento, debes comer cantidades moderadas, es muy recomendable fraccionar tu dieta diaria en cinco tiempos poco voluminosos: tres comidas principales y dos colaciones, una a media mañana y otra a media tarde, así no pasas hambre y evitas tentaciones de comer chatarra, mantienes tus niveles de glucosa en sangre adecuados, lo que es ideal para tu bebé, y tú te sentirás más cómoda sin comidas muy copiosas, facilitando tu digestión.

Los alimentos más convenientes que les proporcionan tanto a ti como a tu bebé muchos beneficios en calidad y contenido de nutrientes, son:

- Alimentos de origen animal, cuya proteína es de alto valor biológico como: carne de res, cordero, ternera, cerdo (elige cortes magros); pollo (sin piel); pescado, mariscos (nunca crudos) y huevo.
- Alimentos con proteína vegetal, como las leguminosas: frijol, lenteja, haba, garbanzo; contienen fibra, dan energía y si los mezclas con cereales como arroz y maíz, incrementas su valor biológico; tofu y oleaginosas como: almendras, cacahuate, nuez, pepita, contienen además grasa buena.
- Lácteos: leche y yogur, tienen proteína de alta calidad y además son una buena fuente de calcio; prefiere los descremados y quesos frescos, como el tipo panela, oaxaca, cottage y mozzarella.

- Frutas y verduras, fuentes muy importantes de vitaminas, minerales y fibra, sin sobrecocerlos o frescos y crudos, lavados y desinfectados, elige de todos los colores, para que te proporcionen variedad en nutrimentos; procura consumir diario una fruta rica en vitamina C como los cítricos, kiwi, guayaba, fresa y frutos rojos, melón, piña, papaya, uva… y una verdura de hoja verde como la espinaca, acelga, brócoli, espárrago y una amarilla a roja como chabacano, durazno, zanahoria, jitomate, cereza, ciruela. Las frutas deshidratadas son una fácil y buena idea para llevarlas como colación, además son ricas en minerales y fibra, come dos cucharadas de pasitas, arándanos, ciruelas pasa, orejones de chabacano…

- Cereales, pan, tortilla… preferiblemente integrales, cómelos con moderación.
- Las grasas son importantes e indispensables, escoge las saludables como el aguacate, oleaginosas y aceites vegetales para aderezar y cocinar; úsalas con moderación.

- Los alimentos que no te convienen son los que tienen muchas grasas saturadas, azúcar o sal, como el azúcar refinada, mieles y jarabes dulces, cereales y harinas refinadas, productos de pastelería industrializados, embutidos, aderezos comerciales, enlatados y alimentos "chatarra"; todos estos alimentos tienen mucha energía y poco o nulo valor nutritivo.

Al inicio de tu embarazo, cuida la calidad de tu alimentación, no necesitas más calorías, recuerda que comer bien no es comer mucho. Por la semana 20 requerirás aumentar una ración de lácteo o proteína, una fruta, una verdura, y un cereal integral; o una ración de la comida como, por ejemplo, un taco de nopales con queso, una albóndiga con una tortilla y una taza de ensalada.

Cuida tu salud

Muchas de las molestias comunes en el embarazo como el reflujo, náuseas, acidez, sentirte demasiado llena, estreñimiento y fatiga, entre otros, son por efecto hormonal y el crecimiento del útero y se pueden eliminar o minimizar alimentándote adecuadamente. Un buen manejo de tu alimentación disminuye el riesgo de problemas más serios como hipertensión o diabetes gestacional.

Algunas recomendaciones generales:

- Fracciona tu dieta diaria en 4 a 6 tiempos.
- Modera las porciones.
- Selecciona alimentos frescos, naturales de buena calidad nutritiva.
- Ingiere muchas verduras y de 3 a 4 frutas al día.
- Prefiere preparaciones sencillas.
- Usa poca grasa y condimentos irritantes.
- Evita consumir carne o pescado crudos, así como quesos o leche sin pasteurizar.
- Come despacio, mastica bien.
- Toma pocos líquidos durante las comidas, deja media hora antes o una hora después de estas para beber de 6 a 8 vasos de agua al día.
- Deja pasar 1 a 2 horas después de cenar antes de acostarte.
- Modera el consumo de cafeína.
- Lleva un estilo de vida saludable: camina, descansa, y procura un ambiente relajado.

> Comer bien es sentirte bien y alimentar adecuadamente a tu bebé.

A la hora de comer, escucha a tu cuerpo, recuerda que es importante nutrirte saludablemente y disfrutar tu embarazo en un ambiente alegre y amoroso.

La dieta, que es el conjunto de elementos que conforman la alimentación, debe reunir ciertas características.

- Ser completa, es decir, que contenga todos los nutrimentos.
- Ser equilibrada, los nutrimentos deben guardar entre sí proporciones adecuadas.
- Ser suficiente (la cantidad adecuada).
- Ser variada (los alimentos seleccionados para cada tiempo de comida tienen que ser diferentes).
- Desde luego, la dieta debe estar exenta de contaminantes, evitando el abuso de los condimentos irritantes.

Los nutrimentos se clasifican en carbohidratos, lípidos o grasas, proteínas, vitaminas, minerales y agua. Un método sencillo y eficiente para la selección y combinación adecuadas de los alimentos, que permite satisfacer los requerimientos nutricionales diarios, es conocer los grupos básicos.

Cuatro grupos

Grupo 1

Alimentos que proporcionan mayor energía

Básicos

Cereales, semillas que crecen en espigas: maíz, trigo, arroz, avena, cebada…
Raíces feculentas: papa, camote, betabel…
Frutas energéticas: aguacate, coco, plátano…

Secundarios

Azúcares: azúcar, miel, jarabes, piloncillo…
Grasas: aceite, mantequilla, mayonesa, crema…

Grupo 2

Alimentos que proporcionan proteínas

Proteínas de origen vegetal

Leguminosas, semillas que crecen en vainas: frijol, lenteja, garbanzo, haba, alubia, soya, etcétera.
Semillas oleaginosas: nuez, cacahuate, ajonjolí, piñón, almendra, etcétera.
Para obtener proteínas vegetales de buena calidad debes combinar cereales con leguminosas.

Grupo 2

Proteínas de origen animal

Huevo, carnes rojas, puerco, pollo, pescado, mariscos, cordero, cabrito, embutidos, vísceras (hígado, riñón, lengua), etcétera.

Grupo 3

Alimentos que aportan calcio

Lácteos
Leche y derivados: queso, yogur, helado, crema, etcétera.

Grupo 4

Alimentos que aportan vitaminas y minerales

Frutas: naranja, papaya, pera, manzana, ciruela, melón, piña, mango, durazno, fresa, frambuesa, zarzamora, guayaba, sandía, uva, toronja, mamey…

Verduras: acelgas, brócoli, col, calabaza, espinaca, lechuga, berenjena, hongos, apio, poro, chícharos, ejotes, coliflor, chiles, pepino, jícama, tomate, jitomate, zanahoria, verdolagas, pimientos…

Estos alimentos aportan, además, carbohidratos y fibra.

La fibra no es un elemento nutritivo pues no se digiere; no proporciona energía, pero absorbe agua y bilis, por lo que contribuye a la eliminación de desechos y ayuda a una correcta función intestinal. En consecuencia, debemos ingerir alimentos integrales, frutas y verduras sin pelar o colar.

- A partir del segundo trimestre de gestación, la mujer tiene un requerimiento diario de 300 calorías adicionales a las 2000 que necesita normalmente.
- Es necesario vigilar el aporte de hierro y ácido fólico que se encuentran en el grupo 2 (espinaca, acelga, brócoli, berro y lechuga).
- Habrá que asegurarse también de tener aporte de calcio con una ración de algún producto lácteo en cada comida.
- Durante el embarazo, el aumento de peso recomendado es de 9 a 14 kilogramos en total, dependiendo de la situación y el peso previo al embarazo de cada mujer.

EJERCICIO DURANTE EL EMBARAZO

¿Por qué es importante el ejercicio durante el embarazo?

Uno de los objetivos fundamentales de los ejercicios durante el embarazo es preparar al cuerpo para resistir el sobrepeso y promover la postura adecuada. Mantener una buena postura permite alinear el cuerpo y proteger las articulaciones, sobre todo cuando la mujer trabaja y permanece mucho tiempo de pie.

Las molestias más comunes durante la gestación son el dolor de espalda y la fatiga. Es por eso que si sabes cómo agacharte, cargar algo o simplemente caminar, las molestias serán mínimas. Los problemas posturales son comunes, pues el cuerpo tiene que adaptarse a cambios estructurales y hormonales.

Estos cambios repercuten directamente en las articulaciones, los ligamentos y los tejidos fibrosos, que se aflojan y ablandan. Si logras mantener fuertes los músculos del abdomen y los glúteos, ayudarás a proteger las articulaciones de la pelvis.

Al ejercitar los músculos abdominales mantendrás su elasticidad, lo cual contribuirá a que tengas mejor soporte de la pelvis y de todos los órganos que esta contiene incluyendo al bebé.

Los gases y el estreñimiento son más frecuentes en los casos de intestinos perezosos, como resultado de una pared abdominal débil y floja.

Otros ejercicios básicos durante el embarazo son los del periné (piso pélvico), debido a su importancia como sostén de los órganos de la pelvis (vejiga, recto y útero), en el control de esfínteres y como prevención y ayuda para promover la circulación. La ejercitación de esta zona es indispensable, ya que te permitirá mantener su elasticidad, tono y firmeza.

Aprender a mantener el periné relajado es fundamental durante los exámenes médicos y sobre todo en el parto, ya que de este modo el bebé nacerá más fácilmente.

Los ejercicios físicos deben formar parte de la rutina de todo ser humano, para tener una vida más plena y sana. El ejercicio despeja la mente, mejora la condición física, ayuda a la circulación, evita el estreñimiento y da una mejor oxigenación, tanto a la madre como al bebé.

Es muy importante que tengas una buena condición física y llegues preparada al día del parto. Este puede equipararse a unos 14 km de caminata y al igual que un deportista que se prepara para una competencia, tienes que seguir un entrenamiento, ser disciplinada y constante, comer lo que tu organismo necesita y, sobre todo, estar motivada.

La constancia y la disciplina para hacer ejercicio no solo te beneficiarán durante el embarazo y el parto, sino que formarán parte de una rutina que has logrado con tu esfuerzo y voluntad, misma que te ayudará a llevar, de aquí en adelante, una vida más sana.

Recomendaciones para tu rutina de ejercicios

- Cada movimiento debe acompañarse de una inhalación y una exhalación.
- Practica los ejercicios diariamente, cinco veces cada uno.
- Si el clima lo permite, haz los ejercicios al aire libre.
- Usa ropa cómoda y holgada.
- Si tienes problemas con la rutina de algunos ejercicios, consulta a tu instructora de clase.
- Si durante los primeros días sientes alguna molestia muscular ligera, no te alarmes; es normal, especialmente si no estás acostumbrada a hacer ejercicio.
- Consulta a tu instructora si sientes dolor e interrumpe de inmediato el ejercicio que lo causa.
- Caminar, practicar bicicleta estática o nadar media hora diariamente te hará sentir más saludable.

Cuida tu salud, haz ejercicio diariamente.

Caminando

1. Camina apoyándote en los talones.
2. Camina en puntas de pie.

Sentada

3. Haz círculos con los pies hacia un lado y hacia el otro.
4. Contrae y relaja el periné y los glúteos (alterna).
5. Aleteo de piernas: junta las plantas de los pies.
6. Inhala y al exhalar, trata de tocar con la barbilla la punta de los pies.

Semiacostada con las piernas flexionadas

Acostada, con las piernas flexionadas y los pies apoyados en el piso.

7. Levanta la pierna derecha hacia arriba, inhalando.
   Exhala a un lado.
   Inhala al centro.
   Exhala al bajar.
   Alternar con la otra pierna.
8. Balanceo de pelvis.
   Inhala y mantén la lordosis lumbar lo menos pronunciada posible, sostén el aire durante cinco segundos y exhala.
9. Puente.
   Levanta la cadera, inhalando, y exhala al bajar.
   Acostada, con las manos en la nuca y las piernas flexionadas.
   Semiacostada con las piernas flexionadas.

10. Trompo.
Con las manos en la nuca, las piernas flexionadas.
Inhala, exhala girando las piernas hacia la derecha.
Inhala al centro y gira, exhalando a la izquierda.

11. A gatas (cuatro puntos de apoyo).

   a) Inhala sacando la barbilla y coloca la espalda recta.
   b) Exhala curvando la espalda y mete la barbilla al pecho.

De pie

12. Sentadilla: inhala y al bajar, exhala. Inhala y exhala al subir.
Mantén los talones pegados al piso.

13. Abdominal.
En posición sentadilla, inhala relajando la pared abdominal.
Exhala contrayéndola.

14. Círculos con los brazos, alterna.

15. Palma con palma.
Presiona cinco veces mientras sostienes aire en tres posiciones (arriba, en medio y abajo).

La diástasis

Para detectarla, acuéstate bocarriba, con las rodillas flexionadas, levanta lentamente la cabeza hacia el pecho, manteniendo los hombros en el suelo unos segundos, si notas una depresión en los músculos abdominales (a la mitad del cuerpo) significa que hay diástasis (separación) de los músculos rectos del abdomen y hay que evitar que se pronuncie más durante el embarazo, o bien corregirla después del parto. Evita los ejercicios 7 y 10.

Ejercicios para corregir la diástasis de los músculos rectos abdominales

La rutina es la misma antes y después del parto:

a) Acostada bocarriba, con las rodillas flexionadas y las manos cruzadas sobre el abdomen. Inhala profundamente y, al exhalar, levanta la cabeza hacia el pecho mientras tratas de unir al centro los abdominales.

b) Comienza haciendo dos movimientos por la mañana, al despertarte, y dos al acostarte. Aumenta de uno en uno hasta que completes cinco en la mañana y cinco en la noche.

Haz varias repeticiones. El ejercicio es corto y rápido. Después del parto, inicia con dos movimientos y aumenta de cuatro en cuatro, hasta completar 25 o 50 diarios. Descansa cuando lo necesites.

Puedes repetir los ejercicios en el transcurso del día. Cuando se cierre la diástasis al hacer el ejercicio, levanta la cabeza y los hombros para que fortalezcas los músculos abdominales oblicuos.

Ejercicios del piso pélvico (ejercicios de Kegel)

El piso pélvico está formado por numerosos músculos muy fuertes que son determinantes para el sostén de los órganos de la pelvis como son la vejiga, el útero y los intestinos. Además, controlan los esfínteres y tienen un papel fundamental durante el nacimiento del bebé.

Es importante que aprendas a ejercitar estos músculos con ejercicios específicos que te ayudarán a soltar y también a apretarlos.

Los ejercicios del piso pélvico se aprenden en las clases de preparación para el parto, se necesita constancia y perserverancia para hacerlos durante el embarazo, el posparto e idealmente toda la vida. Mantienen el piso pélvico bien irrigado previniendo incontinencia urinaria, várices y hemorroides.

Los ejercicios del piso pélvico son sencillos y, poco a poco, los podrás incorporar a tu rutina diaria de ejercicio. En el momento de la expulsión, empujarás al bebé con tu pared abdominal, moviendo los músculos del piso pélvico hacia abajo para ayudar al bebé a nacer mientras el canal vaginal se va distendiendo. En el posparto es recomendable ejercitar el piso pélvico para recuperarte y debes iniciar al día siguiente después del parto.

Toma en cuenta estos consejos

- Asiste puntualmente a la visita mensual con tu médico.
- Evita el uso de ligas, tobimedias, tacones altos, ropa ajustada y fajas (a menos que el médico lo sugiera por algún problema específico).
- Si tienes problemas circulatorios, utiliza preferentemente medias elásticas. Cuando estés acostada, levanta las piernas unos minutos y antes de levantarte ponte las medias.
- Lleva una dieta balanceada, de acuerdo con tu tabla de nutrición.
- Evita el alcohol, ya que atraviesa la barrera placentaria (existe el peligro del síndrome del bebé alcohólico o con malformaciones).
- Evita el cigarro y las drogas (pueden provocar bajo peso, malformaciones, dependencia y hasta la muerte del bebé).

- No te automediques ni autovitamines. Hazlo únicamente bajo prescripción y con vigilancia médica.
- Evita acostarte bocarriba lo más posible.
- Siéntate lo más atrás posible en la silla con la columna bien apoyada en el respaldo.
- Evita toda radiación, como la producida por los rayos X (pueden provocar mutaciones y malformaciones en el bebé).
- No permanezcas estática durante periodos muy prolongados (ni sentada ni de pie). Camina y estírate por lo menos cada hora y de ser posible, levanta las piernas sobre un banquito.

- Bebe por lo menos dos litros de agua diariamente.
- Descansa y duerme por lo menos ocho horas diarias.
- Durante tu gestación, visita por lo menos una vez al dentista y lávate los dientes después de cada comida. Durante el embarazo hay mayor propensión a las caries.
- No es necesario interrumpir las relaciones sexuales (a menos que el médico lo prohíba por alguna circunstancia especial). No hay riesgo para el bebé. Dialoga con tu pareja y busca nuevas alternativas.
- Si tienes náuseas, no te preocupes, aunque a veces no desaparezcan tan rápido como quisieras. Procura no mezclar líquidos con sólidos, distribuye las tres comidas diarias en cinco y evita las grasas; los alimentos muy condimentados y la cafeína. Recuerda que es mejor comer y beber despacio. Es indispensable no permanecer sin alimentarse durante mucho tiempo, ya que ello ocasiona malestar, náuseas y dolor de cabeza.

CAMBIOS EN EL EMBARAZO

Es totalmente normal que existan cambios físicos y emocionales durante el embarazo ya que todos los aparatos y sistemas del cuerpo de la mujer se adaptan para acoger al bebé en desarrollo. Es natural que se altere todo el funcionamiento del cuerpo de la madre y esto supone algunas molestias e incomodidades. Puedes notar alteraciones en el sistema digestivo, circulatorio, respiratorio así como cambios en la piel, el cabello y las uñas que son normales aunque a veces desagradables.

Entender estos cambios como parte normal del embarazo, la ilusión por el bebé y el apoyo de tu familia y de tu marido te ayudarán enormemente a que no te asustes y te adaptes a ellos fácilmente reconociendo que estás dando la vida a tu bebé.

Todas estas molestias prácticamente las controlarás con un poco de descanso y con el conocimiento de tu propio cuerpo. Además, recuerda que es muy importante para vigilar la salud de ambos, la visita a tu ginecólogo, una vez al mes para checar que todo lo que estás viviendo sea normal y tu bebé esté desarrollándose adecuadamente.

Anota todas tus preguntas y dudas, así como los cambios que vas sintiendo para que te asegures de comentar todo lo que te interesa con tu médico.

Molestias comunes

Falta de aire

El bebé que va creciendo limita el espacio a tus pulmones, por ello tu forma de respirar se modifica un poco. Cuando sientas que te falta el aire practica tu respiración profunda y evita acostarte bocarriba, procura dormir preferentemente sobre tu lado izquierdo y utiliza almohadas para acomodarte mejor, colocando una de ellas entre las piernas.

Al respirar empezarás a usar todos los músculos superiores expandiendo tu tórax hacia los lados para poder inhalar más aire. Debes sentarte muy derecha y buscar respirar lento y profundo para sentirte más cómoda.

Evita estar mucho tiempo de pie, procura caminar y hacer ejercicio moderado diariamente. Cuando subas o bajes escaleras, hazlo lentamente como tu cuerpo te lo pida. Debes descansar y subir las piernas o recostarte un rato por la mañana y otro rato por la tarde.

En el último trimestre del embarazo, pueden aumentar las molestias y la dificultad para respirar pero ya cerca del parto, cuando el bebé se encaja en la pelvis, tendrás más espacio para tus pulmones y sentirás que respiras mucho mejor.

Congestión nasal

Presentar dificultad para respirar por la nariz, sentirla seca o congestionada es común y quizá tengas algún sangrado ocasional. El volumen sanguíneo aumenta más de 40% en el embarazo, lo que provoca precisamente estos cambios.

Ayudan, básicamente, la humedad, ingerir más líquidos y utilizar humidificador, manzanilla o agua de mar; puedes usar vaselina para lubricar la nariz.

Hinchazón

Algunas mujeres retienen líquidos y se hinchan, principalmente de las piernas y de los pies, sobre todo en tiempo de calor.

Debido al aumento de peso y al incremento del volumen sanguíneo conviene activar tu circulación con ejercicios moderados diariamente, también puedes caminar o nadar. Te ayudará mucho descansar un poco más y subir las piernas a un taburete .

Del mismo modo, tomar agua de piña, de jamaica o un té de ''cabellos de elote'', ya que son diuréticos naturales. Es importante notificar al médico en caso de que tu cara, manos y pies se hinchen demasiado para que te revise la presión arterial, y descarte un padecimiento más serio que se llama *toxemia del embarazo*, la cual en su caso requerirá de vigilancia médica más estrecha.

Agruras

Puedes experimentar una sensación de ardor o de acidez después de comer y regurgitar. Te recomendamos hacer cinco comidas más ligeras al día, en lugar de las tres que hacías antes.

Evita mezclar líquidos con las comidas. Toma agua entre comidas y evita cenar pesado antes de dormir. Busca caminar un poco para bajar los alimentos antes de sentarte o recostarte y procura estar semirreclinada y no totalmente acostada. Evita los condimentos, los picantes, el caldillo de jitomate y

> La mayoría de las molestias que experimentas son normales.

la comida frita. Recuerda tomar únicamente el antiácido recomendado por tu médico.

Dolor de espalda

Se debe al peso extra que ahora cargas y al cambio del eje de gravedad de tu cuerpo. Es muy importante trabajar en la buena postura y hacer algunos ejercicios que fortalezcan tu espalda y tu pared abdominal durante el embarazo.

Conviene caminar con el vientre contraído para que cargues al bebé con tu musculatura, estés más cómoda y sin dolores de espalda.

Para cuidar tu espalda es importante que al levantarte de la cama ruedes de un lado y te ayudes con los brazos al sentarte, luego contrae el vientre para levantarte con menos esfuerzo.

Cuando tengas que recoger o levantar algo del piso, especialmente si pesa, en lugar de agacharte hacia el frente, dobla las rodillas como haciendo una sentadilla y para levantarte haz la fuerza con los muslos, estirando las piernas primero y subiendo la cabeza al final.

Molestia en el nervio ciático

En ocasiones, debido al peso del bebé y al tamaño del útero, se presionan nervios que producen una molestia persistente: ya sea en la espalda baja, en la región glútea recorriéndose al muslo y a lo largo de toda la pierna. Es conveniente notificar al médico.

Hay ejercicios especiales que aliviarán gran parte de estas molestias, como estiramientos específicos para liberar los nervios, la aplicación local de calor o frío y la acupresión, entre otros.

Modificaciones en los senos

Durante el embarazo, los senos empiezan a cambiar y a prepararse para la lactancia. Crecen y adquieren más sensibilidad y puedes sentirlos más calientes. Habrá un cambio de color más oscuro en la areola y el pezón estará más sensible, puedes sentir comezón y a veces aparecen estrías.

Se hacen muy notorios los tubérculos de Montgomery sobre las areolas: glándulas sebáceas que limpian y lubrican al pezón y que están especialmente dispuestas para mantener al pezón y la areola libre de bacterias nocivas. Parecen granitos.

A partir del cuarto mes de embarazo, puedes ver que sale calostro (precursor de la leche) lo cual es totalmente normal. Algunas madres gotean calostro, otras solo notan cristalitos; lo importante es que hay cambios y tu cuerpo se está preparando para alimentar al bebé con tu leche materna.

Usa un *brasier* o sostén preferentemente de algodón. Evita usar jabón en la areola y el pezón porque el pecho tiene su propio sistema de limpieza y lubricación y el jabón reseca la piel. Recomendamos masajes con crema en tus senos para que mantengas tu piel hidratada, evitando la areola y el pezón.

Molestia en los ligamentos redondos

Existen dos ligamentos de uno y otro lado del útero cuya función es sostenerlo, al igual que lo hacen la columna, el piso pélvico y los músculos abdominales. Si realizas algún movimiento brusco o te levantas de un sillón mullido y confortable, estos ligamentos se estiran mucho causando dolor, tirones o espasmos en el suelo pélvico. Estas molestias son pasajeras; así como se producen se quitan, pero también pueden prevenirse si antes de realizar algún movimiento, contraes el abdomen y te mueves con cuidado.

Estreñimiento y hemorroides

El estreñimiento es frecuente en el embarazo debido al crecimiento del útero y la presión que ejerce sobre los órganos. Los cambios hormonales, así como los suplementos vitamínicos que contienen hierro, también pueden ocasionarlo. Las hemorroides son venas varicosas que, debido al estreñimiento, pueden empeorar o desarrollarse en el embarazo.

Es importante que ingieras líquidos en abundancia, aumentes el consumo de alimentos con fibra, cereales, frutas y verduras con cáscara y que estimules el intestino con bebidas calientes, como té o agua caliente.

Procura evacuar teniendo una hora específica para ir al baño y responde cuanto antes al reflejo intestinal sin postergarlo ni aguantarte. Presiona las rodillas por enfrente cuando estés sentada en el excusado para estimular el movimiento del intestino y evacuar con más facilidad.

No utilices enemas o laxantes sin consultar a tu médico. Se recomienda hacer ejercicio moderado diariamente, ya que aumenta la circulación en general, así como practicar los ejercicios de Kegel.

Cambios en la piel, el cabello y las uñas

En algunas mujeres aparece en la parte baja del abdomen la línea morena del embarazo, mayor pigmentación en areolas, pezones y cloasma o coloración en forma de antifaz en la cara. Esta pigmentación desaparecerá unos meses después de que haya nacido el bebé y cuando los niveles hormonales se hayan normalizado.

Las estrías también son comunes en el embarazo, son provocadas por el estiramiento de la piel. Suelen salir en el vientre, en los senos o en los muslos y brazos. Habrá que utilizar crema lubricante todos los días y no rascarse para no dejar marcas. Estas estrías son rojas y una vez nacido el bebé se irán desvaneciendo y poniendo plateadas.

Algunas mujeres tienen, durante el embarazo, un problema de acné, es importante consultar con su médico y evitar automedicarse.

Fatiga

Es normal que el aumento de peso y la vida diaria te provoquen cansancio. Deberás escuchar lo que el cuerpo te pide. Si estás cansada, busca cómo descansar a lo largo del día. Una pequeña siesta con una buena relajación te proporcionará enorme descanso.

Insomnio

El cuerpo es sabio, hay que escucharlo. La mujer se prepara para despertar con frecuencia durante el periodo del puerperio y la lactancia. Es común que te despiertes en la noche y no puedas dormir. Acomodarse en la cama con almohadas, colocarte sobre tu lado izquierdo, cambiar de lugar (por ejemplo buscar un sillón), hacer un ejercicio de relajación, orar, escribir una carta o darte un baño te ayudarán.

Sin embargo, son los pensamientos y la ansiedad lo que muchas veces no deja dormir a los padres; el parto, la llegada del bebé y los cambios en la vida futura de ambos, les preocupa.

Es recomendable un baño antes de dormir, leer un buen libro, evitar el café en la noche, cenar más temprano y evitar hacer un ejercicio estimulante antes de acostarte. Tratar de bajar la tensión del día, disfrutar de un buen programa de televisión que no tenga escenas angustiantes, practicar la relajación y la respiración profunda te ayudará a tranquilizarte.

Las visualizaciones positivas como soñar despierta, imaginarte ya con tu bebé recién nacido y que todo ha salido bien, o simplemente pensar en tus planes de familia cuando nazca tu bebé, contribuirán a tranquilizarte.

Orinar frecuentemente

El peso del útero ejerce una fuerte presión en la vejiga; esto se nota en el primer trimestre del embarazo, pero durante el tercer trimestre se acentuará. Las molestias se presentan como salida de orina al toser, reír, estornudar o al hacer algún esfuerzo. Los ejercicios del piso pélvico te ayudarán a fortalecer y a controlar los esfínteres, además de ayudarte en la expulsión del bebé cuando sea momento.

Mantener estos ejercicios de por vida, te ayudarán eficientemente a mantener un piso pélvico firme y fuerte.

Cambios en articulaciones

Los cambios hormonales, particularmente la aparición de la hormona relaxina, provocan algunas molestias en las madres: las articulaciones molestan, se sienten laxas o duelen en algunos momentos del día. La relaxina es la responsable de ello pero es la que ayudará a que se suavice el cartílago de la sínfisis del pubis y las articulaciones sacroiliacas y se amplíe la pelvis, la cual, al adquirir cierto juego, permite al bebé pasar con más facilidad durante el nacimiento.

Calambres

Un calambre es una sensación desconocida muchas veces para la madre, generalmente en la pantorrilla a la medianoche al estirar la pierna. Para quitar el calambre hay que estirar la pierna sin hacer puntas con el pie flexionado, es decir, jalar los dedos hacia atrás. Presionar el pie contra una pared disminuirá la molestia. Los ejercicios de estiramiento te ayudarán a prevenir los calambres, así como incluir en tu dieta alimentos como naranja y plátano.

Te sugerimos que preguntes a tu médico si un suplemento de calcio es conveniente.

Síntomas y signos de alarma

Si llegaras a experimentar cualquiera de los siguientes signos o síntomas es importante que acudas con tu médico o, en caso de no localizarlo, acudas al hospital.

> Llama al médico o
> acude al hospital.

Síntomas de parto pretérmino

Esto es si ocurre aproximadamente de tres a ocho semanas antes de tu fecha probable de parto.

- Más de cuatro contracciones en el lapso de una hora.
- Sensación de cólicos menstruales que empiezan y se van o se vuelven regulares.
- Retortijones con o sin diarrea.
- Dolor en la región lumbar.
- Presión o sensación de peso en el periné o piso pélvico.
- Salida del tapón mucoso con algo de sangre o salida de líquido amniótico.

Hemorragia vaginal

- Un sangrado con sangre fresca (como cuando sale sangre por la nariz) no es normal, hay que acudir de inmediato al hospital y localizar al médico.
- Presencia y salida de coágulos.

Dolor abdominal

- Acudir al hospital si se experimenta un dolor abdominal muy fuerte, constante e incapacitante.

Modificaciones en los movimientos fetales

- La madre conoce e identifica si el bebé se mueve mucho o lo hace de forma diferente. Si no sientes los movimientos del bebé acude al médico.

Fiebre

- Notifica al médico si tienes fiebre.

Dolor de cabeza

- Un dolor fuerte de cabeza.
- Sensación de zumbido de oídos, ver puntos negros o destellos luminosos.
- Pérdida de la visión, debilidad o pérdida del equilibrio.

Molestias al orinar

- Sensación de deseos de orinar frecuentemente y sale poca cantidad.
- Orina manchada de sangre.

SEXUALIDAD EN EL EMBARAZO

El hombre y la mujer somos seres humanos sexuados y de esta manera nos relacionamos con los demás. La relación de un hombre y una mujer unidos en matrimonio es la más profunda e íntima que existe, pues incluye la relación sexual a través de la cual se realiza la unión plena entre los dos y la procreación de un nuevo ser humano.

El embarazo es un momento especial y diferente para las parejas: existe una sensibilidad particular y es una época de gran creatividad que vale la pena aprovechar para realizar grandes proyectos personales y de familia. La pareja debe hacer frente a cambios y altibajos con paciencia, calma, sentido del humor, alegría y madurez para alcanzar sus metas y lograr que el embarazo sea una etapa de encuentro y cercanía entre los dos.

Un aspecto fundamental es la comunicación, ya que el hombre y la mujer deben saber expresar sus sentimientos, sus preocupaciones, sus anhelos y sus proyectos en la vida.

El embarazo es un tiempo de fuertes cuestionamientos y de sentimientos profundos; es cuando ambos reflexionan sobre algo tan trascendental como el significado de convertirse en padres y cuál es la imagen ideal de padre o madre que cada uno de ellos tiene. El vínculo especial que se consolida durante el embarazo, al crear planes juntos y compartir tantas emociones hará más cercana e íntima su relación amorosa.

El acercamiento físico y emocional que se logra con las relaciones sexuales es el medio más maravilloso del cual disponen las parejas para manifestarse plenamente su amor y es la manera de sentirse más fuertes y unidos que nunca.

Dada la enorme sensibilidad que ella tiene durante el embarazo, es importante que su compañero procure que se sienta cómoda y que la ayude a que tenga una imagen favorable de sí misma. El tamaño y la forma del cuerpo la harán sentirse extraña, distinta y a veces podría sentirse insegura; reafírmale tu amor y tu admiración por ella.

Es importante que ambos perciban y aprecien la belleza de la mujer en el embarazo, sintiéndose orgullosos de su capacidad para procrear. Los cambios en tu cuerpo ponen de manifiesto que esperan un hijo, fruto de su amor.

Durante el primer trimestre del embarazo disminuyen las relaciones sexuales en virtud de la intensa actividad hormonal que produce náuseas, vómitos y fatiga, mientras que durante el segundo trimestre suelen ser más placenteras, pues ella se siente mucho mejor, existe mayor sensibilidad, así como aumento de sangre circulando y de secreciones. Es posible que en algunas ocasiones no sientan deseos de tener relaciones sexuales, pero recuerden que la relación sexual entre ustedes es mucho más que el coito, por lo que es importante buscar otras formas de acercamiento e intimidad, mantener la comunicación y los planes en pareja.

No es necesario evitar el coito durante todo el embarazo, si se trata de una gestación normal. El bebé está bien protegido dentro del útero y del saco, que contiene el líquido amniótico que es un excelente amortiguador: el bebé no corre peligro alguno.

Consideren que el aumento en el volumen del abdomen y la sensibilidad de los senos pueden hacer incómodas las posiciones convencionales al tener relaciones. Por tanto, es recomendable que ensayen nuevas posiciones y busquen alternativas, pero, sobre todo, procuren comunicarse con mucho amor sus temores e ilusiones. Al mismo tiempo, conviene profundizar la cercanía, la comunicación, la comprensión y la ternura entre los dos. También es posible que el coito provoque contracciones ligeras y pasajeras que en minutos desaparecen y no representan ningún problema para tu bebé.

¿Cuándo evitar relaciones sexuales?

Debes evitar las relaciones sexuales en caso de cualquier tipo de hemorragia (consulta al médico de inmediato, quizá no sea nada serio, pero debe descartarse la posibilidad de una placenta previa o de un aborto espontáneo). Cuando ya ha habido abortos espontáneos, es imprescindible consultar al médico así como en caso de presentar flujo con sangre o si hay salida del líquido amniótico. El médico será quien les explique por qué deben evitar el coito, si existe una razón que lo justifique.

Si con el coito presentas contracciones uterinas fuertes y regulares antes de la semana 37 de embarazo, debes suspender relaciones sexuales para evitar que tu bebé nazca antes de tiempo, sin embargo, cuando el embarazo llegue a término, a partir de las 40 semanas de gestación, puedes reanudar las relaciones sexuales e inclusive son recomendables para estimular el inicio del trabajo de parto, pues las prostaglandinas que contiene el semen ayudan a ablandar el cuello uterino y a que se libere la hormona oxitocina, lo que favorece que inicien las contracciones de parto.

TRANSFORMAR EL MIEDO EN CONFIANZA

Asistir a cursos de educación perinatal prepara a la pareja para el parto, los ayuda a disipar sus miedos y temores en relación con el embarazo, el parto, la lactancia y la crianza, temas centrales cuando están esperando un hijo.

La pareja debe estar informada sobre cómo preservar la normalidad del nacimiento, cómo actuar durante el trabajo de parto, tanto en casa como en el hospital, y cómo lograr una lactancia con éxito.

Debe prepararse física, mental y emocionalmente para este periodo y conocer de qué manera puede disipar miedos, conociendo técnicas de comunicación, de manejo del dolor y, sobre todo, sentir que puede ayudar y tomar decisiones asertivas estando bien informados.

> Eres capaz de dar a luz.

En los cursos de preparación para el parto, se verá que es una experiencia fisiológica normal, natural y saludable, que las contracciones son necesarias para que nazca el bebé y que las mujeres están dotadas de la fortaleza necesaria para dar a luz, poniendo en práctica estrategias concretas para trabajar con el dolor sin necesidad de utilizar medicamentos ni intervenciones médicas.

El papel del padre es importante por su presencia y el apoyo emocional que brinda a su mujer. Juntos estarán preparados para recibir a su hijo y cuidarlo sabiendo qué hacer tomando decisiones juntos.

La labor educativa y de apoyo con las parejas es trascendente, ya que sabemos que el parto tiene impacto profundo en la mujer y en su familia.

La experiencia del parto la fortalece y la capacita para acoger a su hijo, un regalo que no tiene precio. También ayuda a reconocer que el bebé tiene derecho a nacer en una familia con un padre y una madre unidos que se amen y se respeten, que lo acojan y se sientan orgullosos de recibirlo.

La naturaleza humana femenina tiene inscrita la capacidad de concebir, lograr un embarazo a término, dar a luz y amamantar a sus bebés, con la educación perinatal se facilita hacer consciente que somos colaboradores de Dios cuando tenemos hijos y reconocer nuestra misión, así como ver con claridad caminos prácticos para desempeñarla.

Dicho de otra forma, la mujer ya sabe hacerlo, es capaz de parir y de amamantar naturalmente, solo necesitamos ayudarla a que lo descubra, lo valore y lo asuma confiadamente.

A través de la educación perinatal irás transformando el miedo en confianza.

Muchos temores se basan primordialmente en el desconocimiento del proceso normal de la gestación y del parto. Seguramente también tienes una serie de expectativas que solo podrás resolver después de haber dado a luz; por ejemplo, si el bebé y tú están sanos, las reacciones de tu pareja, etcétera.

La preparación para el parto disminuye de manera muy significativa la ansiedad y el temor a lo desconocido.

Te permitirá admirar la maravilla de tu cuerpo dando vida a un nuevo ser; tendrás mayor seguridad en ti misma y confianza en tu capacidad de mujer para procrear, parir y cuidar a tus hijos.

Uno de los mayores temores es el miedo al dolor en el parto. En este aspecto, durante tu preparación aprenderás las habilidades necesarias para enfrentarlo sin medicamentos, protegiendo al máximo a tu bebé.

Para ser madres debemos aprender a manejar el dolor, porque esto nos da confianza, nos fortalece y nos permite luchar por la vida con voluntad, coraje y dignidad.

Nacimiento

Es el momento en el que te vas a convertir en mamá, en donde pondrás a prueba tu sabiduría interna, tus conocimientos adquiridos y todo el empeño para que tu hijo nazca bien, en las mejores condiciones, con tu ayuda y con todo tu esfuerzo.

Es un día inolvidable, piensa en él con ilusión.

PARIR, PRIVILEGIO Y MISIÓN

Actualmente proliferan los movimientos de liberación femenina que enarbolan los derechos de la mujer y luchan por conquistarlos.

Sin embargo, muchas mujeres han olvidado la misión de la cual son legítimas depositarias, por no darse cuenta de que tienen en este mundo una tarea única que nadie puede suplir, una tarea que el hombre no puede realizar y que es valiosa y profundamente humana. Es maravilloso que las mujeres podamos colaborar y ser elementos activos de la creación. Somos una pieza vital; sin nosotras, la humanidad se extinguiría. Hemos sido elegidas para traer al mundo a seres humanos nuevos.

Esta tarea es la más importante que cualquier mujer tiene en el mundo, y es una labor que exige sumo cuidado y máxima responsabilidad.

Las mujeres tenemos la obligación de prepararnos, conocer y estudiar el proceso maravilloso que se realiza en nuestros cuerpos, desde el día en el que, por medio de un acto de amor, concebimos a un nuevo ser humano. Tenemos la obligación de conocer con detalle el proceso del embarazo y del parto mismo.

Toda mujer sabe parir por naturaleza pero requiere que su mente inteligente entienda el proceso y lo haga consciente para ayudar a su hijo a nacer, disfrutando su parto y viviendo momentos de indescriptible felicidad, pues la experiencia de enfrentar el dolor y el esfuerzo son factores de plenitud y de realización.

Cuando la mujer realmente da a luz de forma natural, ha aprendido, mediante un entrenamiento previo, a controlar sus molestias y a manejar su cuerpo de tal manera que participa en el proceso que culmina con el nacimiento de un bebé, la obra más importante, comprometedora y trascendente de su vida.

> Una fuerte comunicación entre ambos.

Un parto natural es dar a luz en forma digna y participativa y es, sin lugar a dudas, la experiencia más feliz que una mujer puede tener en su vida. Cuando la mujer está acompañada por su marido durante el parto, comparten emociones inolvidables que marcarán su vida para siempre. Se establece una fuerte comunicación entre ambos estrechándose vínculos de amor, respeto y admiración mutua.

LA RESPIRACIÓN

¿Cómo debo respirar durante mi parto?

No existe una forma adecuada ni única de respirar ni puede encasillarse en un patrón rígido, ya que cada mujer, cada cuerpo, tiene diferentes necesidades respiratorias que dependen de su propio organismo, de la actividad física y del estado emocional en que se encuentra. Por otra parte, la manera de respirar varía según las diferentes etapas del trabajo de parto, de manera espontánea, siendo así una respiración fisiológica.

La respiración consciente promueve la relajación óptima. Lo que disminuye la percepción del dolor es la concentración en la respiración y en la relajación.

Todos respiramos de forma natural casi siempre sin hacer conciencia de cómo lo hacemos. Durante el trabajo de parto, las molestias y las distintas sensaciones, así como la frecuencia de las contracciones, modifican tu respiración de forma natural, dependiendo de la intensidad de la actividad uterina. En ocasiones el miedo, la ausencia de concentración y la tensión provocan que la respiración se altere y cause malestar.

> Haz consciente tu respiración, ¡inhala y exhala siempre!

Es importante respirar como tu cuerpo te lo pida, haciendo conciencia de que siempre estés inhalando y exhalando para que te mantengas bien ventilada y oxigenada.

En trabajo de parto debes tratar de buscar y alternar posiciones cómodas para que te sientas a gusto y puedas respirar tranquilamente.

Conforme avance el trabajo de parto y las contracciones sean más intensas, empezarás a respirar de forma lenta y profunda para manejar las sensaciones y profundizar tu relajación y tu concentración.

Es recomendable que, cuando sientas que inicia la contracción, realices una respiración profunda, lenta y cómoda, como un suspiro, que te sirva como señal para relajar todo tu cuerpo y después durante el minuto que dura la contracción respires como tu cuerpo te lo pida y, cuando termina, vuelvas a respirar profundo y descanses.

Esto permitirá que identifiques claramente cuándo empieza y cuándo termina una contracción manteniendo, en todo momento, tu concentración. Irás a tu propio ritmo acompañando el vaivén de tus contracciones.

Es importante cuidar un ambiente de intimidad, bajar la intensidad de la luz y, si te acomoda, escuchar música suave para que te concentres en tu trabajo, estés alerta a las señales de tu cuerpo y respondas a estas.

Habrá un momento, en cada contracción, en que necesites modificar tu respiración, al igual que un corredor al llegar a una subida o al acelerar la llegada a la meta, que te permita mantener una buena oxigenación. Cuando la contracción termine, descansa y respira normalmente.

Moverte a tu ritmo en posiciones verticales ayuda al bebé a descender por la pelvis; sentarte en el excusado o en una pelota ayudarán también a que puedas relajar mejor el periné y te sientas más cómoda, siempre inhalando y exhalando.

Es importante evitar hiperventilarse. Si respiras muy profunda y rápidamente estarás exhalando mucho dióxido de carbono y alterarás el equilibrio de la respiración, lo que incrementará tu frecuencia cardiaca. Puedes tener náuseas o vómitos, adormecimiento en las manos y boca, una probable sensación de ansiedad, sudoración y mareo. Todo ello es muy incómodo cuando estás en trabajo de parto; ya de por sí lo es con otro tipo de molestias. Si te llegara a suceder esto, respira dentro de una bolsa de papel el mismo aire que exhalas, durante un minuto, cubriendo la nariz y la boca, te vas a sentir mucho mejor en pocos minutos.

La mejor recomendación para respirar en trabajo de parto es que respires escuchando tu cuerpo, que te irá marcando el ritmo adecuado espontáneamente.

Si en algún momento te sientes ansiosa o tensa, respira lento y profundo durante las contracciones, ya que así lograrás volver a relajarte y recuperar el control.

Si te enfrentas a una situación donde tengas deseo de pujar, pero quieras evitarlo por alguna razón en concreto, sopla como si apagaras una vela, todo con la boca, con pequeños soplidos cortos, durante la contracción. Esta respiración te ayudará a evitar pujar en alguna circunstancia específica en la que se te pida no hacerlo. Desde luego, lo ideal al sentir deseo de pujar es empezar a hacerlo y al pujar sentirás un gran alivio y no será doloroso.

La respiración puede hacerse de las siguientes maneras:

1. Inhalando y exhalando por la nariz.
2. Inhalando por la nariz y exhalando por la boca.
3. Vocalizando al exhalar y balanceando tu cuerpo al ritmo de tu respiración.
4. Imaginando o visualizando lugares, recuerdos o personas con la finalidad de aumentar tu concentración y así mantener un ritmo respiratorio adecuado asegurándote de que siempre estés inhalando y exhalando.

Dependiendo de tu actividad y de la necesidad de oxígeno en el trabajo de parto, a veces se requiere respirar en forma más lenta o más acelerada.

La respiración rítmica lenta promueve la relajación corporal, como sucede durante el sueño. Se relaciona con la habilidad de enfrentarse a las tensiones y al dolor. La sensación de autocontrol se asocia con esta forma de respirar que proporciona mejor oxigenación, ayuda a calmarse y es la menos cansada.

Durante el trabajo de parto debes lograr una relajación absoluta respirando lentamente ya que la respiración lenta y profunda puede inducir la relajación y ayudarte a controlar las molestias.

Al practicar, combina estrategias que faciliten tu concentración, por ejemplo:

- Cuenta cada inhalación o exhalación.
- Observa el movimiento de tu cuerpo al respirar y escúchate.

LA RELAJACIÓN

Saber relajarse adecuadamente disminuye el dolor y favorece la confianza en la capacidad de enfrentar las molestias durante las contracciones al dar a luz.

El círculo descrito por el Dr. Grantly Dick Read (miedo-tensión-dolor) dice: "A mayor miedo, habrá mayor tensión, y al haber más tensión, habrá mayor dolor". Este círculo puede hacerse más y más intenso en el trabajo de parto pero debes saber que también puede romperse y convertirse en un círculo virtuoso (relajación-menor dolor-confianza). Y es que si voluntariamente inducimos la relajación, la percepción del dolor disminuye y el miedo se transforma en confianza.

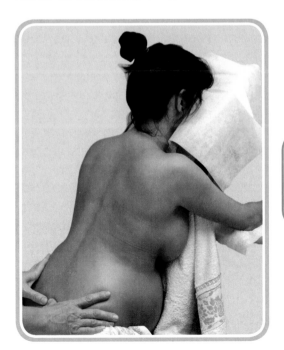

Relajarte te ayuda a tener un trabajo de parto más fácil.

En las clases de preparación para el parto, se enseñan diferentes técnicas de relajación, pero es importante que practiques diariamente, de ser posible con tu esposo, para que estés lista para relajarte en tu parto, respondiendo a la propia motivación de querer realmente ayudar a tu hijo a nacer.

Sentir y estar consciente de tu cuerpo es vital para diferenciar lo que es estar relajada o estar tensa. Y esto es de gran ayuda, pues te permitirá tomar la decisión de relajarte, mejorando tu capacidad de enfrentar los retos del parto, en especial las molestias y el dolor durante las contracciones. Existen varias técnicas para relajarse como, por ejemplo, la progresiva que implica relajar tu cuerpo poco a poco de cabeza a pies, contrayendo y relajando parte por parte. Podemos tensar unos músculos y mantener a otros relajados. Lograr esta habilidad neuromuscular te dará mucha tranquilidad ya que el día del parto, el útero estará contraído y trabajando de manera intermitente, y tú podrás mantener el resto del cuerpo relajado.

Otra forma de relajarse es en pareja, ir tocando distintas partes del cuerpo como señal para relajarlas, esta técnica se volverá muy útil como lenguaje no verbal durante el parto.

Para manejar con éxito el trabajo de parto sin medicación, quizá lo más importante de tu preparación sea dominar la relajación. Durante la labor, la tensión puede alargar el trabajo de parto y hacerlo más molesto, pues aumenta la sensación de dolor. Relajarse contribuye a que todo el proceso se lleve a cabo de una manera más natural y que puedas ayudar a que tu bebé nazca, experimentando menos molestias y dolor.

Como sucede con cualquier habilidad, es necesario practicar la relajación diariamente perfeccionando constantemente la técnica.

Conviene que tu compañero aprenda también a relajarse, que se conozcan en este estado y que se animen a practicar juntos. Se debe escoger una postura correcta y cómoda para la relajación, ayúdate con almohadas, procurando alinear la espalda. Evita acostarte bocarriba pues dificulta la circulación de retorno. Mantén la temperatura con calcetines y suéter, o ponte al sol para que no te enfríes y no te cueste mantener la relajación. Procura que el ambiente sea el adecuado. Evita las distracciones (teléfono, timbre, voces, etc.). Baja las luces, pon música.

Para concentrarte, usa la respiración contando, haciendo ruido, imaginando la entrada y la salida de aire… Puedes estar en tu rincón favorito, ante tu paisaje predilecto… Recorre la casa con tu mente… Imagina la playa o el bosque, el mar o la montaña, visualízalo en tu mente.

Día tras día observarás tu mejoría, cómo te vas sintiendo más segura al ir dominando la técnica. Permanece relajada por espacio de 10 minutos procurando salir lentamente de ese estado, con movimientos lentos y suaves para terminar la sesión. La relajación en el parto reduce la tensión y la ansiedad, así como la acumulación de ácido láctico en los músculos. Debes utilizarla durante cada contracción en el trabajo de parto y para un control total de tu cuerpo, porque estarás tranquila y sentirás menos dolor. Úsala desde el principio del parto, porque permitirá disminuir el cansancio y el agotamiento.

Practica diariamente, si es posible junto con tu pareja y, cuando sientas que la dominas, prueba en situaciones difíciles de la vida cotidiana: en un congestionamiento de tránsito, en tu trabajo, en el dentista, etcétera.

Saber relajarse es una habilidad psicomotora que se puede adquirir y perfeccionar si se practica todos los días, durante 10 minutos. Debes saber relajarte en distintas posiciones, especialmente en las que usarás el día del parto.

Tu pareja es muy importante; practicar la relajación juntos será una experiencia muy especial para los tres…

Algunos recursos para relajarte profundamente en el embarazo y durante el trabajo de parto

- Concentración.
- Actitud positiva.
- Confía en tu cuerpo y tus sensaciones: tu cuerpo es perfecto, funciona.
- Posición cómoda: te dará relajación y, por tanto, control.
- Temperatura agradable.
- Música (suave y tranquilizante).
- Enfoca tu atención en algún objeto agradable (foto, imagen, un cuadro).
- Recuento mental de objetos (escalones, ventanas, sillas).

- Temperatura confortable (usa chal, calcetines; si es necesario cojín eléctrico o de agua).
- Recuerdos agradables de la pareja (momentos que hayan disfrutado juntos).
- Palabras de aliento (tú puedes, falta poco, ya lo lograste…).
- Olores agradables (flores, pinos, mar, almohada del esposo).
- Compresas frías o calientes.
- Baño de agua tibia para relajarse en regadera o en tina.
- Luz tenue.
- Ir al baño con frecuencia.
- Chupar dulces.
- Almohadas para rellenar huequitos (puede servir también una toalla mediana, doblada o enrollada).
- Estímulos táctiles (soba una sábana, una frazada o tela agradable al tacto).
- Mecerse, estar de pie o a gatas.

Es bien conocido el hecho de que el abrazo oportuno y el sentido del tacto son de gran consuelo para las personas. Durante el trabajo de parto realmente te aportará muchos beneficios. Podrá reducir tu percepción del dolor pero sobre todo te ayudará a relajarte mejor, a sentirte protegida y querida. Tu marido o quien te acompañe en este proceso, te podrá ayudar mucho si presiona puntos importantes en tu pelvis que te den alivio y consuelo. Al estar relajada, el simple hecho de sentir su mano en tu nuca, en tus hombros, piernas o brazos te ayudará a relajar los músculos más fácilmente.

MASAJES Y PUNTOS DE PRESIÓN

Es importante romper con el círculo miedo-tensión-dolor. El masaje y el tacto te ayudarán a estar tranquila, a que disminuya el estrés, favoreciendo así la producción de endorfinas y, por tanto, la disminución del dolor durante las contracciones del trabajo de parto.

De igual manera, usar compresas calientes o frías te ayudarán a enfrentar mejor las molestias y es que las sensaciones agradables que se producen, llegan al cerebro más rápido que las sensaciones dolorosas, activando el llamado sistema de "compuertas", logrando que la percepción del dolor disminuya.

Cuando te das un golpe en la mano enseguida la aprietas con la otra, si te duele la cabeza aprietas ciertas zonas como arriba de la nariz o de las cejas o te das un masaje en las sienes buscando consuelo.

En el trabajo de parto para las molestias en la zona lumbar, se puede aplicar presión con ambos puños. Esta molestia también disminuye al ponerse de lado izquierdo o a gatas, permitiendo la posibilidad de darte masaje y presión en esta zona.

Los masajes se pueden hacer utilizando diferentes técnicas y alternándolas, según te acomode.

Con las yemas de los dedos, superficial y suavemente; con las palmas de las manos, como amasando; o con el talón de la mano, con firmeza.

Los masajes te ayudan a reducir la tensión acumulada por tu cuerpo a lo largo de la columna vertebral, los hombros y el cuello. Favorecen la relajación profunda y disminuyen la ansiedad y la fatiga.

Reducen las molestias de la columna vertebral, causadas por las contracciones y el peso del bebé.

Dados por uno mismo o por el compañero, se utilizan como técnicas de distracción, ya que los estímulos táctiles llegan al cerebro más rápidamente que el estímulo doloroso de la contracción.

Al aplicarlo, carga las manos de energía frotándolas vigorosamente. Tú puedes trasmitir la energía a tu pareja, recuerda que el calor mitiga algunas molestias. Dense masaje mutuamente, expresando cada uno, el modo como le gustaría recibirlo.

Desarrollar el sentido del tacto, incrementa la seguridad y permite expresar el amor hacia la otra persona (pareja, hijos). La mujer debe dar su consentimiento para que se le dé masaje, pues no siempre le parecerá agradable y puede libremente rechazarlo.

Masajea brazos y manos; también aplícalo en hombros, cuello y espalda, para eliminar la tensión que generalmente se acumula en estas zonas. Durante el embarazo, evita masajear las piernas y los pies ya que en ellos existen algunos puntos que al estimularlos pueden desencadenar contracciones uterinas antes de tiempo. Pero una vez iniciado el trabajo de parto, puedes hacerlo confiadamente. El masaje en las piernas y en los pies es recomendable, incluso, para estimular las contracciones.

Practica diariamente el masaje junto con tu pareja, para que el día del parto puedan seleccionar el más adecuado.

El masaje está contraindicado y debe evitarse en casos de enfermedades de la piel, flebitis, venas varicosas, contusiones y tendencia a sufrir moretones, o si la mujer no lo desea o le incomoda.

PUNTOS FOCALES Y VISUALIZACIÓN

El cerebro controla tus pensamientos, es importante que trates de no pensar en la molestia de la contracción ocupando tu mente con afirmaciones positivas, contar tus respiraciones o recitar alguna oración mentalmente para mantenerte concentrada y motivada. Debes evocar recuerdos gratos, visualizar tus paisajes favoritos, frases que te han estimulado o simplemente enfocarte en el esfuerzo que está haciendo el bebé por nacer acompañándolo.

Visualizar a tu bebé en sincronía con el mecanismo del trabajo de parto, te alentará a querer ayudarle a nacer. El pensar que ya estás en el hospital, que hay personal capacitado para ayudarte y darte confianza también te tranquilizará.

Es conveniente que busques posiciones verticales cómodas que faciliten el descenso del bebé y ayuden a relajar los músculos del piso pélvico. El apoyo de tu esposo, su presencia, su estímulo y sus palabras de aliento te ayudarán sin duda en estos momentos. Es importante mantener la calma, seguir tu intuición y tu instinto para trabajar con la confianza de estar segura que simplemente tú sabes dar a luz.

Como en cualquier disciplina, te ayudará mucho asistir a tu curso, practicar diariamente y ser constante, para que el día del parto estés preparada y lista para usar estas estrategias de manejo del dolor exitosamente.

La disciplina, la perseverancia y formar hábitos requiere de tu esfuerzo y dedicación. Si practicas imaginando contracciones simuladas irás incrementando, día a día, tu confianza para que al momento del parto te sientas segura.

Apóyate con música, fotos de tus seres queridos, alguna imagen religiosa o de algún lugar que te traiga recuerdos gratos, la imaginación guiada, los olores a campo, a bosque, los colores que puedas imaginar en un paisaje, el sonido de aire, del mar o de un río, todos estos son ejemplos de visualizaciones que puedes utilizar de una manera efectiva.

EL PARTO EN AGUA

El agua caliente es una gran opción que proporciona alivio y comodidad, reduce las molestias y la percepción del dolor y te ayuda a que puedas relajarte al sentirte a gusto. La regadera o la tina pueden ayudar en muchos momentos del trabajo de parto incluso en casa, antes de irse al hospital. Cuando el trabajo de parto avanza, la mujer está cansada y con contracciones muy fuertes, introducirse en una tina calientita produce mucho consuelo y un estado maravilloso de relajación, disminuye el dolor de las contracciones y favorece la evolución del trabajo de parto. Se genera un ambiente de intimidad, silencio, admiración, quietud y respeto a la mujer que está haciendo su labor de parto. Además, los bebés nacen en maravillosas condiciones de salud y bienestar.

Testimonio

Creo que soy una mujer afortunada por haber crecido bajo la influencia de mi mamá, una mujer apasionada y dedicada a educar a las parejas durante el embarazo para lograr un parto psicoprofiláctico. Toda mi vida he recomendado los cursos y el tener al bebé de forma natural y sin anestesia. Ahora, después de tres felices partos en agua, creo que la mujer debe evitar la cesárea ya que es increíble participar en el nacimiento de forma activa. El cuerpo de la mujer está diseñado para eso y la recuperación es impresionante; es la mejor forma de empezar con la maternidad.

Escogí a mi doctor por varias recomendaciones. Tenía pánico de caer en manos de cualquier médico, quería estar segura de que fuera una persona ética y que apoyara mi decisión de tener un parto natural y sin anestesia y que solo en el caso de una complicación recurriría a una cesárea (sé que es una práctica común en la mayoría de los médicos en México, lo cual es alarmante). Así fue como conocí al doctor Ramón Celaya, médico militar, convencido de las bondades del parto psicoprofiláctico y uno de los pioneros en atender el parto en agua en nuestro país. A lo largo de mi primer embarazo me fui dando cuenta de que todas las pacientes del doctor con las que platicaba durante la espera habían tenido partos naturales y experiencias muy satisfactorias. Por suerte, mis embarazos evolucionaron sin ningún problema y estaba lista para el parto el día en que mi bebé lo decidiera.

Estaba ya en la semana 38, a las doce de la noche se me rompió la fuente en mi casa, había estado con contracciones mientras veía una película con Gerhard, pero fue a la hora de acostarme que empezó a salir el líquido amniótico. En ese momento Gerhard me comunicó con mi mamá y me acuerdo que ella me dijo: "tu bebé va a nacer hoy" escuchar eso me llenó de alegría, estaba muy emocionada, me dijo que había que esperar y que tratara de dormir y descansar el mayor tiempo posible en mi casa hasta que las contracciones fueran más largas y seguidas, pero que solo yo podía saber el momento.

No pude dormir ya que, además de que cada vez que me acostaba salía más agua, las contracciones empezaron a hacerse cada vez más intensas y frecuentes (ese día supe lo que era una contracción); Gerhard me las contaba y también me hacía masajito en la espalda baja. A las 2:30 de la madrugada salimos de nuestro departamento de Cuajimalpa, las contracciones estaban en su apogeo, pasamos por mi mamá que ya estaba lista para venir con nosotros al hospital y acompañarme durante el parto. Al doctor le marqué ya rumbo al hospital. Recuerdo que en lo que mi doctor llegaba, nos pasaron a un cuartito y me hicieron el tacto para ver si había dilatación, y para mi alegría ya tenía cinco centímetros, sabía que había llegado en buen momento, que ya estaba a la mitad. La frecuencia cardíaca del bebé estaba evolucionando bien al igual que las contracciones que aumentaban y el tiempo de descanso entre una y otra disminuía. Mi doctor llegó y en ese momento sentí una gran tranquilidad, me dijo que el cuarto ya estaba listo y me sugirió darme un baño para relajarme, no quería pero Gerhard me convenció. Me acuerdo de haber estado un ratito bajo el chorro del agua caliente y con un banquito para sentarme durante las contracciones.

El baño me distrajo, pero llegó un momento en que necesitaba cambiar de lugar, entonces me quise sentar en el excusado y ahí pasé unas contracciones muy intensas, el doctor se sentó frente a mí y me dijo que era muy valiente, que el bebé estaba bajando y que por eso sentía esas molestias. Ahí pasé varias contracciones acompañada por mi doctor ya que no quería ser vista por nadie más, hasta que me preguntó si quería que me revisara otra vez, yo dije que sí y quedé feliz cuando me dijo que ya tenía ocho centímetros, que mi bebé estaba a minutos de nacer, estaba rendida pero a la vez muy motivada. Me dijo que la tina estaba lista, que si me quería meter al agua; yo no iba preparada, pero me pareció buena idea ya que buscaba cambiar de postura.

Salí pálida del baño, yo creo que ese fue el momento de la transición, creía que ya no podía más, estaba verdaderamente cansada, pero en paz, sabía que todo iba bien, entonces caminé hasta la tina, antes de meterme, el doctor me pidió que hiciera tres sentadillas agarrada de una barra en la pared entre contracción y contracción todavía fuera de la tina, y volvió a decir (lo cual es una gran motivación en momentos tan difíciles) "ya casi vas a conocer a tu bebé", al meterme a la tina sentí un gran alivio, la sensación del agua calientita vuelve a cambiar la dinámica y aunque todavía con contracciones, sientes un enorme bienestar, ahora sé los beneficios del agua y sé que funciona como anestesia natural. En el cuarto, estaba Gerhard deteniéndome junto a mi mamá, el asistente del doctor, el doctor y nadie más, realmente un ambiente callado y en paz, tres contracciones más sentada dentro de agua y el doctor me pedía que me recostara entre una y otra para relajarme y recuperarme para recibir la siguiente.

El doctor volvió a decir que el bebé no tardaba en salir, entonces me pidió que me hincara y puso un espejo debajo de mí para que viera la cabecita del bebé asomándose y ahí me pidió que pujara al venir la contracción, que mi bebé iba a salir, y fue al segundo pujido que el bebé salió disparado y cachado inmediatamente por mi doctor. Es impresionante el alivio enorme que sentí al ver salir a mi bebé, el doctor me pidió que me sentara, y todavía dentro del agua me puso a mi bebé en las manos cuidando que el agua no entrara a su boquita, Gerhard y yo estábamos felices, todo había salido bien y el bebé lloraba sin parar, estaba despiertísimo, entonces el doctor puso unas pinzas en el cordón que todavía me unía a mi bebé y pidió a Gerhard que lo cortara. Realmente fue toda una experiencia de pareja, ¡y la mejor bienvenida para un bebé tan deseado!

Realmente recomiendo el parto en agua, la recuperación es impresionantemente rápida, no me tuvieron que hacer episiotomía, pero sobre todo, lo veo como una satisfacción personal: "lo logré", me lo propuse y sí pude. Creo que experimentar los dolores del parto te da una fortaleza especial y ayudar a tu bebé a nacer te hace sentir muy feliz, saber que tú puedes controlar el dolor, y que la recompensa es superior a cualquier dolor experimentado.

He tenido ya la suerte de haber vivido la experiencia de tres partos en agua de los cuales me siento muy agradecida con Dios, por estar tan cerca siempre, por los embarazos maravillosos que tuve, totalmente normales y llenos de salud; con mi queridísimo doctor Ramón Celaya, por haber cuidado de mí durante cada embarazo, por haber hecho de mis partos una experiencia tan increíble y feliz, por su profesionalismo y afecto; con mi mamá por haberme traído al mundo quien por su gran amor al psicoprofiláctico nos hizo crecer, a mis hermanas y a mí, con ese "chip" de que es la mejor forma de ayudar a tu *bebé* a nacer y recuperarse; y a mi querido Gerhard, quien siempre me ha apoyado en mis decisiones y ha sido un compañero fiel y cariñoso en todo momento.

Rocío

POSICIONES PARA EL PARTO

Es conveniente que libremente cambies de posición. Acudir al baño a orinar frecuentemente, sentarte en la pelota, realizar movimientos de la cadera, ponerte en cuclillas o hincada, te ayudará a que te sientas mejor. Caminar y mantener posiciones verticales ayudará al bebé a descender. Es importante evitar acostarte sobre tu espalda y pedir al médico que al monitorizar al bebé te mantenga sentada o de pie y que te permita levantarte y moverte constantemente. La movilidad te ayudará a que tu bebé nazca más pronto.

De pie y caminando

Realizar de pie el trabajo de parto te ayudará mucho, ya que la fuerza de gravedad se aprovecha mejor. Además, podrás caminar,

ir al baño y moverte con entera libertad. Solo debes mantenerte quieta y relajada durante la contracción.

Acostada, sobre el lado izquierdo

Esta posición es muy cómoda y recomendable para dormir y descansar durante el embarazo. En el trabajo de parto es muy importante evitar acostarse bocarriba, porque las contracciones son mucho más dolorosas y puede bajar la presión arterial debido al peso del bebé sobre la vena cava. Si deseas acostarte durante tu trabajo de parto, hazlo de lado (de preferencia del lado izquierdo).

A gatas

Favorece la circulación y, por lo mismo, ayuda a prevenir venas varicosas y hemorroides. Alivia las agruras y contribuye en buena medida a que el bebé se coloque de cabeza. Cuando practiques relajarte en esta posición, puedes bajar los brazos y la cabeza apoyándote sobre almohadas. Durante el trabajo de parto puedes estar a gatas, algunos ratos si te sientes cómoda, especialmente en caso de que te duela la parte baja de la espalda.

Posición de sastre

Consiste en estar sentada sobre la cama o el piso, con las piernas cruzadas. Tonifica los músculos del piso pélvico y favorece el estiramiento de los muslos y las caderas.

1. Sentada

En la cama, en una silla o en el sillón apóyate sobre los isquiones de tu pelvis para que tu espalda esté erguida y puedas relajarte con facilidad. Procura sentarte lo más atrás posible, para que tu espalda esté cómoda; rellena con una almohada el huequito de la cintura.

2. En cuclillas

Puedes sostenerte de algún mueble, o apoyarte en las piernas de tu marido o en la pared.

3. Sentada

En la pelota o en el excusado.

4. Hincada

Hincada apoyada hacia delante en la pelota o con las rodillas separadas y bajando la cadera sentándote en los talones.

5. Balancearte

Con una pierna subida en una silla, balancea la cadera y haz círculos con la pelvis. Durante el trabajo de parto es importante que cambies frecuentemente de posición, al menos cada media hora.

BENEFICIO DE ESTAR ACOMPAÑADA POR UNA DOULA EN EL PARTO

El papel de la doula, profesional de la salud que acompaña a la mujer en el parto, es muy importante. Sugiere y te recuerda las técnicas de manejo del dolor; es un lazo de comunicación con el entorno hospitalario que, sobre todo, te da apoyo y calidez humana.

La mujer en el parto requiere confianza, sentirse segura, cómoda, apoyada y sobre todo respetada ya que el parto es una función de gran importancia, es un evento de familia en el que se recibe a un nuevo miembro con amor, agradecimiento y admiración.

La evidencia más reciente demuestra que el parto se facilita mucho si la mujer está acompañada por su marido o por alguna persona que ella elija, puede ser un familiar, una amiga o una doula.

La educadora perinatal está capacitada para acompañar en el parto de manera profesional como doula. Es una persona que está al servicio de la mujer proporcionándole apoyo continuo, emocional y físico, lo que favorece el parto normal.

El embarazo y el parto son los primeros pasos que da la pareja humana para asumir su maternidad y su paternidad. La mujer tiene la capacidad innata de dar a luz y ha sido dotada por la naturaleza con un poder extraordinario; el parto normal la hace aún más fuerte, la prepara para los desafíos de la crianza y la construcción de la familia.

El apoyo emocional a la madre durante el trabajo de parto, el nacimiento y la primera hora de vida del bebé es un factor vital que fortalece los lazos emocionales entre ella y su recién nacido.

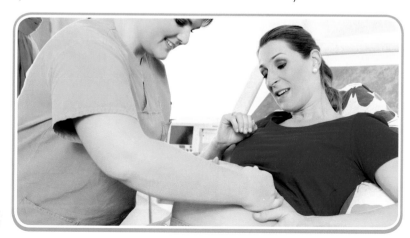

ELECCIÓN DEL HOSPITAL, GINECOBSTETRA Y PEDIATRA

Elige cuidadosamente dónde nacerá tu bebé y al equipo de salud que apoye el parto normal. El lugar y la persona que atiende el parto tienen una gran influencia en el resultado del mismo, por lo que si deseas dar a luz por medio de un parto normal, quien te atiende debe ofrecerte esta alternativa que salvaguarda tu salud y la de tu hijo.

Es importante sentirte a gusto con tu médico, tenerle confianza y sentir la libertad de tratar todas tus inquietudes abiertamente. Los meses que anteceden el parto son los que tienen para escoger el lugar en el que nacerá el bebé y al equipo médico.

Busca un equipo de salud que se comprometa a respetar el parto normal.

Para elegir bien, pregunta al médico ginecólogo:

- ¿Permite que el parto inicie de forma espontánea?
- ¿Atiende el parto evitando intervenciones médicas rutinarias como inducción, monitoreo fetal electrónico continuo, ruptura artificial de membranas, bloqueo, Kristeller, episiotomía, fórceps y cesárea?
- ¿Puedo caminar, cambiar de posición y moverme según me haga falta libremente durante el trabajo de parto?
- ¿Puedo estar acompañada en todo momento por mi esposo, por alguien que yo elija o por una doula durante mi parto?
- ¿Puedo pujar en posiciones verticales para que nazca mi bebé?
- ¿Mi bebé puede permanecer conmigo en contacto piel con piel desde el momento en que nazca al menos una hora y hasta que amamante por primera vez?
- Durante mi estancia en el hospital, ¿puede estar conmigo mi bebé, de día y de noche, en mi cuarto?

Para elegir el hospital, investiga:

- ¿Cómo es la sala en la que tendré al bebé?
- ¿Habrá un pediatra cuando nazca o tengo que traer al mío?
- ¿Existen las salas de labor de parto y recuperación (LPR)? ¿Cuántas son?

- ¿Podré tener a mi bebé en alojamiento conjunto?
- ¿Puedo tener visitas?
- ¿Cuáles son los horarios del hospital, las visitas, qué regalos se permiten introducir y cuáles no?; me informaré sobre los horarios de la cafetería y si habrá estacionamiento (cuál es la cuota de un día o existe una tarifa especial).
- ¿El hospital hace el registro civil del bebé cuando nace?
- ¿Se permite la entrada de niños? ¿Hay un lugar en el hospital en donde me puedan ver mis otros hijos, si es que nace un hermanito?
- ¿Hay consultores de lactancia o quién me enseñe a bañar al bebé?
- ¿Quién revisa a mi bebé todos los días y si yo lo tengo en el cuarto?
- ¿Qué facilidades nos da el hospital, si quiero un parto natural?
- ¿Habrá un anestesiólogo y un pediatra en cualquier momento, en caso de ser necesario?
- Si quiero un parto natural, ¿el hospital permitirá la entrada de mi esposo y de mi instructora o doula?
- ¿Cuáles son los requisitos?
- ¿Puede el hospital atender emergencias, tanto de la madre como del bebé?, ¿hay posibilidad de un traslado en caso de ser necesario?
- ¿Cómo es el manejo de este hospital con mi seguro de gastos médicos?
- ¿El hospital está certificado como "Amigo de la Madre y del Niño"? ¿Cuenta con el profesionalismo, la capacitación y la sensibilización de todo el personal que atiende en él?

Para elegir al pediatra

Al seleccionar al pediatra es conveniente platicar de este tema con amigos y conocidos. Muchos pediatras prefieren conocer a la pareja antes de que nazca el bebé, esto puede ser conveniente para ambas partes ya que además de comentar dudas se conocerá de antemano el trato del médico.

La pareja debe externar sus inquietudes, sus preferencias y, a su vez, el médico podrá hacerles sus propias recomendaciones. Es el momento en el que los futuros padres leen, se preparan y disfrutan desde el momento en que saben que esperan la llegada de un bebé.

Esto requiere preparación, información y mucha responsabilidad desde este momento. Es importante que los padres sean personas motivadas y responsables desde el inicio.

Hay que preguntar todo lo relacionado con el seguro, los horarios, las guardias con otros pediatras en caso de emergencia, teléfonos de asistencia y desde luego orientación en caso de hospitalización.

El tema de la circuncisión: ¿Quién la hace? ¿Qué día se realiza después de nacido el bebé? ¿El seguro lo cubre?

Preguntas comunes para el pediatra

- ¿Cómo atiende al recién nacido sano?
- ¿Puedo ser yo la primera en recibirlo en mis brazos?
- ¿Corta el cordón umbilical hasta que deje de latir (después de 3 a 4 minutos)?
- ¿Promueve el contacto piel a piel entre la madre y el bebé o entre el padre y el bebé, si la madre requiere alguna otra atención?
- ¿Permite que el bebé se quede con su madre al menos una hora después del nacimiento o hasta que amamante por primera vez?
- ¿Fomenta la lactancia materna?

EL PARTO

La percepción del parto difiere de una mujer a otra, lo cierto es que la historia familiar, la educación, la preparación y la actitud que tome cada mujer ante este suceso son factores determinantes en la visión que tú tengas sobre el parto. Dependerá de ti el empeño que pongas para que todo salga bien. Debes descubrir la fortaleza que tienes y que te guiará durante el trabajo de parto.

No hay dos partos iguales, aun siendo de la misma mujer; en cada embarazo y en cada parto habrá diferentes circunstancias, por lo que es importante que te prepares, te documentes y estés lista para vivirlo plenamente.

Piensa que tu cuerpo sabrá qué hacer; sentirás esta confianza y percibirás una gran sabiduría interna que te ayudará a tener resistencia durante este proceso.

Unos días antes del parto, experimentarás algunos cambios y debes estar preparada para identificarlos serenamente.

Cambios emocionales

- Te sentirás emocionada y ansiosa.
- Tendrás una energía sorprendente, aparece el instinto del nido y empezarás a preparar todo lo necesario para recibir a tu bebé, a dejar impecable tu casa, lavar y arreglar todo, procura conservar la mayor energía posible y estar descansada para el trabajo de parto; dormir y tener todo listo para el momento en que tengas que ir al hospital y que te sientas tranquila porque estás preparada para la llegada del bebé.
- También te dará mucha tranquilidad tener lista la maleta con tus cosas para llevar al hospital.

Cambios físicos

- Sentirás contracciones espaciadas y poco intensas ("Braxton-Hicks").
- Aumenta el flujo vaginal.

- Puedes arrojar o no el tapón mucoso, siempre acompañado de sangre vieja o nueva.
- Aumenta la presión en el piso pélvico.
- Puedes aumentar o bajar medio kilo de peso.
- Puedes tener algo de náuseas.
- Síntomas parecidos a los premenstruales.
- El bebé se puede mover menos o un poco más.
- Alteraciones gastrointestinales, pues es frecuente que poco antes de empezar el trabajo de parto, o en cualquier momento de la labor, las hormonas te provoquen náuseas, vómitos o diarrea. Esto no debe angustiarte, al contrario, es un signo de que tu cuerpo se prepara para el trabajo de parto y muy probablemente pronto nacerá el bebé.

Consejos para mamá

- Continúa con las actividades cotidianas sin exagerar.
- Descansa y duerme en la medida de lo posible.
- Practica la relajación, escucha música, medita, ponte a orar y disfruta tu embarazo.
- Termina con los asuntos pendientes, ten preparada tu maleta y las cosas para el bebé.
- Desayuna, come o cena según sea la hora y entre comidas come algo ligero, como frutas, cereales y verduras.
- Espera con mucha paciencia a que el parto inicie espontáneamente y permanence en casa hasta que tengas contracciones largas, intensas y frecuentes.

Consejos para papá

- Ayuda con los últimos pendientes.
- Asegúrate de que tu mujer descanse lo suficiente.
- Comparte tus emociones y sentimientos, es bueno platicar sobre tus preocupaciones, pues al expresarlas y compartirlas, ambos se sentirán más tranquilos.

> Ten paciencia para que el trabajo de parto inice espontáneamente y todo será más sencillo.

- Tu actitud comprensiva, tu paciencia y tus muestras de cariño son indispensables para tu mujer en estos momentos.
- Ten paciencia, espera a que el parto dé inicio y el cuerpo de tu mujer lo manifieste de forma espontánea con contracciones uterinas.

¿QUÉ DEBO LLEVAR AL HOSPITAL?

Revisen primero qué les pide el hospital, qué se requerirá para el ingreso, cómo se pagará la cuenta, e investiguen si existen paquetes o descuentos. Les sugerimos disponer de tiempo para hablar con el seguro de gastos médicos y ver con toda calma los gastos que cubre, todo con el fin de que estén prevenidos y calculen los gastos con tiempo. Esto les dará tranquilidad. Hoy también es necesario inspeccionar las vías de acceso al hospital y el tiempo que, a distintas horas del día, tardan en llegar desde su casa.

Objetos útiles durante el trabajo de parto

Durante el trabajo de parto es muy importante contar con los elementos que se enlistan a continuación, pues te ayudarán a sentirte más cómoda:

- Este libro, como referencia.
- Bata, calcetines, chal y pantuflas.
- Algún objeto que te guste mirar para concentrarte en él (por ejemplo, una foto, imagen, etc.).
- Tu música.
- Reloj con segundero.
- Caramelos agridulces, barritas, agua y jugos.
- Talco o aceite para el masaje.
- Pomada para los labios resecos o partidos.
- Cepillo de dientes; enjuague bucal.
- Un rebozo.
- Algo nutritivo para comer (snacks).
- Anteojos o lentes de contacto (si los usas).

- Dos pelotas de tenis metidas en un calcetín, para dar masaje o hacer presión en la espalda.
- Ligas para sujetar el pelo.
- Dos apósitos fríos para empezar a usarlos en la sala de recuperación, con objeto de desinflamar la zona perineal.
- Cámara (para fotos y video).
- Un termo con café con leche o alguna bebida caliente que te guste, para tomar después del parto.
- Lista de teléfonos: médico ginecólogo, pediatra, instructoras, familiares, amigos y tu celular.
- Papel y lápiz para hacer anotaciones y registrar las contracciones.
- Una toalla pequeña para aplicar compresas frías o calientes.
- Un pañuelo con algún perfume agradable.
- Una pelota de gimnasia para sentarte en ella (la que usaste para tus ejercicios).
- Compresas frías y calientes.
- Un abanico.
- Una bata de toalla, gorra de baño y unas chanclas para la regadera.
- Aceites aromáticos como lavanda, romero, melisa, que sean olores que a ti te agraden.

Objetos necesarios durante tu estancia en el hospital

Guárdalos en una maleta que puedes dejar en el coche y recoger una vez que haya nacido tu bebé.

1. Tres camisones prácticos, cómodos para amamantar.
2. Bata y pantuflas.
3. Dos brasieres de lactancia, de la talla que usaste durante el último mes de embarazo (una talla más de copa).
4. Protectores desechables para el pecho.
5. Un libro de consulta de lactancia, como *El arte femenino de amamantar* (Liga de la Leche Internacional).

6. Artículos de tocador (peine, cosméticos, champú, cepillo y pasta de dientes, etc.). Procura mantenerte bien arreglada desde el primer día.

7. Dos paquetes de apósitos fríos y uno de toallas sanitarias de máxima absorción.

8. Moneda fraccionaria para teléfono, propinas, golosinas, etcétera.

9. Una muda de ropa para salir del hospital (de la talla que usabas en el cuarto mes de embarazo). Recuerda que la ropa debe ser holgada.

10. Una muda de ropa para el bebé: pañal, mameluco, camiseta, suéter, chal delgado y mantita gruesa. Si hace mucho frío, incluye gorrito.

11. Es recomendable verificar qué pide el hospital para el bebé, cada institución les dará una lista de las cosas que necesitan, como cobertores, camisetas, pañales, pijamitas. Toma en cuenta la ropita del bebé para cuando salgan del hospital.

12. Para tu pareja: pijama, cepillo de dientes, pasta dental, peine, loción, artículos para rasurarse y una muda de ropa limpia.

13. Silla de bebé para el coche.

Empaca con anticipación, así el día que se vayan al hospital no se sentirán ansiosos preparando todo.

LA MAGIA DE LAS HORMONAS EN EL PARTO

Las hormonas en el parto tienen un delicado y armonioso funcionamiento y fluyen con sorprendente balance cuando se respeta su acción fisiológica. Debes considerar acciones que favorezcan y optimicen su liberación y adecuado funcionamiento, en primer lugar permitiendo que el trabajo de parto se establezca espontáneamente para que el sistema de hormonas esenciales en el parto actúe sin interferencias. Es necesario proteger tu bienestar emocional en el trabajo de parto, satisfacer tu necesidad de estar en un ambiente seguro y con privacidad en el que no te sientas observada o te interrumpan. Así podrán fluir las hormonas y lograrás un parto óptimo, fácil y placentero, en el que requieras menos intervenciones médicas y experimentes un adecuado apego entre tu bebé y tú, así como una lactancia exitosa.

El modelo de atención del parto debe cuidar los aspectos de la salud física pero al mismo tiempo los aspectos emocionales y los deseos de los padres, pues todo esto impacta en el nacimiento por la adecuada liberación de hormonas en el parto, por ello es vital que elijas un equipo de salud que esté dispuesto a escucharte y atender tu parto normal así como un lugar apropiado para dar a luz. El efecto positivo de cada parto atendido en estas condiciones favorables se extiende a cada bebé, a sus padres, a su familia y a la sociedad.

Las hormonas que se liberan naturalmente en el trabajo de parto y el nacimiento son:

- La oxitocina es la que causa las contracciones uterinas que te conducen al parto, reducen el estrés, alivian y evocan sentimientos de amor, calma y conexión con los demás. También se libera al bailar, al cantar y durante las relaciones sexuales, al moverse, besarse y acariciarse así como cuando disfrutas una reunión de amigos y te ríes mucho pasándotela muy bien. Debes ser atendida con calidez, respeto y dignidad pues la oxitocina se inhibe cuando te sientes observada o tienes mucho estrés.
- Las beta-endorfinas ayudan a aliviar el estrés y el dolor cerca del momento del nacimiento y provocan sensaciones de placer y recompensa. Te provocan un estado alterado de conciencia de gran introspección en el que te concentras fuertemente en tu trabajo y necesitas evitar cualquier interrupción.
- Las catecolaminas provocan un estado de alerta tanto en ti como en tu bebé justo en el momento de la expulsión, provocando sensaciones de gran fortaleza y fuerza física así como de intensa motivación. Estas hormonas también protegen el cerebro y el corazón de tu bebé durante las intensas contracciones del trabajo de parto y lo capacitan para la enorme transición hacia la vida fuera del útero.
- La prolactina es de la mayor importancia en el proceso procreativo, reduce el estrés y ha sido llamada la "hormona de la maternidad". Sus múltiples funciones incluyen la produc-

ción de la leche materna y te ayudan a adaptarte a tu nuevo papel de mamá, a crecer en paciencia y tolerancia, acentuando tu instinto materno.

- El ambiente de privacidad y sin interrupciones apropiado para el parto hará que te sientas segura y confiada para que tus hormonas fluyan, reduciendo las hormonas propias del estrés que son las **catecolaminas** (adrenalina, epinefrina y norepinefrina) que si se elevan, especialmente al inicio del trabajo de parto, pueden hacerlo lento y largo e incluso llegar a suspenderlo.

Para lograr un ambiente propicio debes cuidar algunos detalles como la intensidad de la luz. Revisa qué te hace sentir más segura: la luz brillante, tenue o apagada. Los sonidos, como música que sea agradable para ti y te evoque sentimientos de paz y amor o quizá el silencio; olores que te proporcionen sentimientos de seguridad te pueden ayudar también.

Quien los acompaña en el parto (la doula) debe hacer todo lo que esté a su alcance por mantenerte en privacidad y segura. Identificar si te ayuda un masaje, dónde sientes más alivio y consuelo, o si prefieres no ser tocada. De igual forma, qué estrategias te ayudan a calmar tu mente, visualizaciones, frases repetitivas, meditar y orar pues todo esto ayuda a tu cerebro a crear y a liberar las hormonas que facilitan el parto. Estudios publicados indican que una herramienta muy efectiva para optimizar los resultados en el nacimiento es una persona que proporcione apoyo continuo a la mujer en trabajo de parto como lo hace la doula.

El buen ánimo y el apoyo durante el embarazo y el parto te ayudarán a mantenerte en calma y relajada. Esto contribuirá al óptimo fluir de las hormonas que hacen que el trabajo de parto progrese adecuadamente y tengas un excelente parto.

Es muy importante buscar siempre la armonía, la convivencia amorosa en la familia y evitar el estrés y la ansiedad tanto en el embarazo como en el trabajo de parto, preparando el camino hacia una crianza feliz.

EL TRABAJO DE PARTO

Inicio del trabajo de parto

El trabajo de parto inicia cuando la oxitocina y las prostaglandinas suavizan y empiezan a borrar el cérvix o cuello uterino. Este proceso inicia antes de las 38 semanas. El útero se entrena con contracciones pequeñas desde el principio del último trimestre del embarazo. La madre empieza a percibirlas experimentando distintas sensaciones, como endurecimiento, presión o pequeños cólicos. El útero, que es un músculo, se va preparando para el día del parto. De pronto algunas contracciones se sienten fuertes y se llaman contracciones de Braxton Hicks, pero no se intensifican ni se presentan muy frecuentes. Estas semanas al final del embarazo son en las que puedes conocer más o menos cómo serán las contracciones en el parto, y además podrás poner en práctica posiciones cómodas, respiraciones y la habilidad de relajarte.

Además de haber albergado al bebé, el útero debe poder expulsarlo. Es decir, primero unas fibras musculares del útero actuarán borrando y dilatando el cuello y más tarde otras fibras empujarán al bebé para que salga durante el parto.

Cuando el bebé desciende a la pelvis y se encaja en ella, la madre lo siente más abajo, entonces se puede respirar mejor, este es un signo de que el parto se avecina. Esto ocasiona micciones frecuentes (como sucedía en el primer trimestre del embarazo) debido a la presión y al peso del útero sobre la vejiga.

Salida del tapón mucoso

El tapón de moco se encuentra en el cuello uterino protegiendo al bebé evitando que penetren bacterias al útero. Hacia el final del embarazo y con las contracciones, este tapón se empieza a desprender y saldrá acompañado de un poco de sangre vieja o nueva. Este es un signo de que el trabajo de parto empezará pronto. No es doloroso ni debe preocuparte si lo expulsas, debes estar alerta y continuar con tus actividades normales así como descansar lo más posible pues el parto ocurrirá en unos días más. Lo mejor es relajarte y distraerte antes de que el verdadero trabajo de parto empiece.

Cambios en el cuello del útero

Las prostaglandinas suavizan, adelgazan y borran el cuello o cérvix cuando el trabajo de parto comienza. Una forma de identificar el progreso del borramiento es por medio de un tacto que solo realizará el médico, ya sea en el consultorio o en el hospital. En las últimas semanas, el médico te revisará para reconocer cualquier cambio significativo en el cuello uterino.

La ruptura de las membranas o "ruptura de la fuente"

Las membranas (bolsa de las aguas) contienen el líquido amniótico que rodea al bebé, lo mantiene a una temperatura estable y lo protege. Tiene un olor característico muy suave similar al del semen y es incoloro.

No se sabe el momento exacto en que se romperán las membranas, lo cierto es que será cerca de la fecha del parto, la madre puede esperar que suceda en cualquier momento cuando el embarazo llega a término. Puede romperse antes de que inicien las contracciones, siendo el primer aviso del inicio del proceso del parto. También puede que se rompa ya habiéndose iniciado el trabajo de parto cuando todavía estás en tu casa y es una señal de que el progreso de la labor es evidente, o bien ya estando en el hospital. En algunas ocasiones, las membranas permanecen íntegras todo el tiempo y el bebé las rompe al nacer.

Es conveniente colocar un protector de colchón en la cama así como llevar una toalla el día que se va al hospital con el fin de proteger las vestiduras del coche.

En cuanto se rompen la membranas, saldrá un poco de líquido amniótico con cada contracción o con cualquier esfuerzo como reírse, toser o estornudar. Hay que utilizar una toalla sanitaria, sentarse y descansar, verificar las características de las contracciones (duración, intensidad y frecuencia) y comunicarle a tu médico la hora en que se rompió. Una vez rotas las membranas, el bebé tendrá que nacer uno o dos días después; unas horas después de la ruptura empezarás espontáneamente a sentir contracciones uterinas.

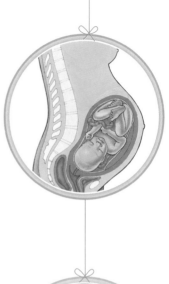

Es una señal de alarma si al romperse la fuente, el agua que sale tiene olor fétido o es de color verdoso, esto significa que tiene "meconio", es decir, que el bebé evacuó lo cual es una señal que manda el bebé que debemos atender con prontitud, es importante llamar al médico y acudir al hospital de inmediato para recibir atención médica oportuna.

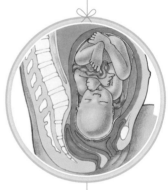

Sugerencias para estar más a gusto en el trabajo de parto

Durante las contracciones

1. Haz una respiración profunda al principio y al final de cada contracción.
2. Concéntrate enfocando la atención en un objeto concreto o una imagen mental.
3. Relájate profundamente.
4. Asegúrate de estar en una posición cómoda; ayúdate con cojines.
5. Respira para controlar las contracciones más fuertes, en forma rítmica y lenta, durante el tiempo que sientas la contracción.

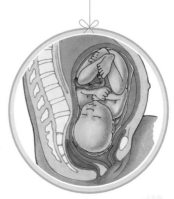

Entre las contracciones

1. Pide a tu pareja que te masajee las palmas de las manos, las plantas de los pies, las piernas o la espalda, ya que esto te acompaña y te relaja.
2. Respira normalmente.
3. Descansa y ahorra energía.
4. Cambia de posición al menos cada media hora de pie y sentada.
5. Toma sorbitos de agua o chupa trocitos de hielo.
6. Orina frecuentemente.
7. Usa pomada para los labios si los sientes resecos.
8. Con una toallita húmeda, refréscate la cara y el cuello.
9. Relaja aquellas partes tensas del cuerpo, para estar lista esperando la siguiente contracción.
10. Puedes caminar o mecerte. Te sentirás mejor.

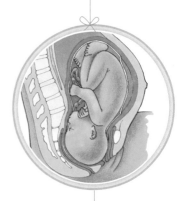

Recuerda que el esfuerzo que estás realizando significa traer al mundo a tu bebé y que pronto podrás conocerlo y estar con él.

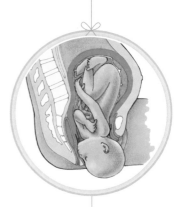

La expulsión del bebé

La urgencia de pujar se presentará de forma espontánea. Pujar es una función natural. Lo que debes hacer solamente es permitir que tu cuerpo responda a la necesidad natural de hacerlo, pujando justamente como el cuerpo te lo pide. Tu cuerpo reacciona a la presión que la cabecita del bebé ejerce sobre tu piso pélvico cuando va descendiendo por el canal de

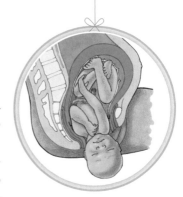

parto. Debes mantener esta musculatura relajada para que se distienda suavemente y se abra poco a poco permitiendo la salida del bebé de forma armoniosa y saludable. No es necesaria la anestesia para dar a luz; al conservar todas tus sensaciones, podrás ayudar mejor a tu bebé.

Confía, tu cuerpo trabaja con una fortaleza increíble, relájate y permite que nazca tu bebé, ayúdalo a nacer empujándolo poderosamente. El intenso trabajo de pujar lo manifiestas con tu respiración y tus expresiones orales que muestran el gran esfuerzo que estás realizando al dar a luz.

Debes tener libertad de movimiento mientras pujas para que elijas la posición que te acomode y puedas modificarla según lo necesites, las posiciones verticales son las más recomendables durante el periodo expulsivo.

Mecanismo del trabajo de parto

1. El cuello del útero se borra y se dilata. El bebé coloca su cabeza mirando hacia un lado de su madre.
2. Con el cuello del útero totalmente borrado y dilatado, la cabecita desciende empezando a rotar para mirar hacia la espalda de su mamá y el bebé flexiona su cabeza pegando su barba al pecho.
3. El bebé termina de rotar colocando su cabeza mirando hacia la espalda de su mamá quedando en posición occipitoanterior.
4. El bebé "corona" su cabecita, ya se asoma por la vagina.
5. El bebé extiende su cuello, conforme asoma la cabeza.
6. Los hombros del bebé rotan con un movimiento llamado "restitución" y la cara del bebé queda colocada mirando hacia un muslo de su madre.
7. El bebé saca el hombro anterior primero y luego el de posterior para terminar de nacer completamente, mientras su madre lo toma en sus manos y lo acerca a su pecho.

Alumbramiento

El alumbramiento es la expulsión de la placenta que ocurre de manera espontánea unos minutos después del nacimiento del bebé. El útero se contrae firmemente disminuyendo su tamaño de manera considerable lo que provoca que la placenta se desprenda y se expulse. Lo normal es que se expulse completa, el médico la toma y la revisa para constatar que estén fuera todos los cotiledones placentarios, así como las membranas amnióticas y se asegura que el útero quede totalmente desocupado y fuertemente contraído habiendo formado el "globo de seguridad" que puede palparse por debajo del ombligo del tamaño de una toronja.

Después de un parto natural en el que tanto la mamá como el bebé están en perfectas condiciones, lo más recomendable es que, mientras nace la placenta y la madre es revisada, el bebé permanezca con ella en contacto piel a piel ya que de esta forma se favorece el alumbramiento y se previene la hemorragia, además se fomenta el apego de la madre con su hijo y el inicio de la lactancia materna.

Recomendaciones

1. Colocar inmediatamente al bebé sobre el pecho de su madre y ahí realizarle los demás procedimientos.

2. Secarlo con una sabanita y ponerle gorro si el clima lo amerita.

3. Cuando el cordón umbilical deje de latir, pinzarlo y cortarlo.

4. Evaluar el Apgar del bebé al minuto y a los 5 minutos de nacido permaneciendo sobre el pecho de su madre. Consiste en evaluar frecuencia cardiaca, frecuencia respiratoria, tono muscular, reflejos y coloración de la piel.

5. Permitir que el bebé haga contacto visual con su madre y que busque el pecho para que inicie espontáneamente su primera succión.

6. Que el bebé permanezca con su madre y, si es posible, también con su padre durante la primera hora de vida antes de darle otras atenciones necesarias.

Después del nacimiento de tu bebé y de la expulsión de placenta, el médico revisará tu matriz y en algunas ocasiones será necesario suturar; si tuviste episiotomía o si existe alguna laceración debe suturarse también. A partir de estos momentos te encuentras en el puerperio inmediato. Durante la primera hora, la enfermera revisará tus signos vitales y checará que tu matriz esté debidamente contraída. Es importante que el bebé esté en contacto piel a piel contigo y succione el pecho, ya que esto estimula naturalmente la producción de la oxitocina que se requiere para que el útero se siga contrayendo formando el "globo de seguridad" y el sangrado posparto sea normal.

Es común que te sientas temblorosa pues has hecho un gran esfuerzo, tus emociones son muy fuertes y al terminar el intenso trabajo empiezas a sentir frío, pide un cobertor y te sentirás más cómoda.

Una toalla sanitaria fría o una bolsa de hielo ayuda a disminuir la inflamación y las molestias en el piso pélvico. La sutura en el periné requiere aseo frecuente, el personal de enfermería te asistirá en ello.

El dolor en el parto

Ningún parto es igual a otro y la percepción del dolor de una mujer a otra es muy diferente. Hay quien ni siquiera quiere recordarlo y hay quien lo recordará como una experiencia única y gratificante. Lo que sí sabemos es que el miedo provoca mucha tensión y que esto, sin duda, puede aumentar la percepción del dolor de la mujer en trabajo de parto.

En el parto, el dolor tiene un gran significado ya que sirve para que nazca tu bebé, por tanto, es algo positivo, no amenaza tu salud ni tu vida. El dolor en el parto forma parte de un proceso fisiológico normal y no implica enfermedad.

La educación perinatal abordará el tema del dolor en el parto y cómo enfrentarlo adecuadamente con herramientas y medidas de confort específicas que permitan que el parto sea, en verdad, una experiencia positiva y hermosa.

El dolor te servirá de guía para dar a luz, trabaja con él.

La experiencia del dolor es individual y subjetiva. La mujer reacciona ante el dolor, según las experiencias del pasado. Sin embargo, la mujer puede aprender nuevas conductas y patrones que la ayuden a comprender y a controlar el dolor en el parto.

Las contracciones uterinas determinan el dolor en el parto. Estas van variando en intensidad, duración y frecuencia, vienen y van, como las olas del mar, siempre con un intervalo de descanso entre una y otra, borrando y dilatando el cuello lentamente. Las molestias se pueden controlar paulatinamente con estrategias que se aprenden en las clases de preparación para el parto.

Tu actitud positiva y la confianza en tu capacidad de dar a luz son determinantes para poder controlar de una manera adecuada el dolor en el trabajo de parto. Contar con un plan para tu parto, incluyendo las estrategias que puedes aplicar para enfrentar el dolor sin medicación, te ayudará a sentirte segura.

El dolor en el parto es una experiencia personal, variable, causado por los cambios en el cuello uterino, la dilatación, la presión de la cabecita del bebé al descender apoyándose sobre tu vejiga y recto, el canal del parto que se estira, las articulaciones de la pelvis y la distensión del periné. En este dolor influyen también los aspectos culturales aprendidos, heredados, así como las diversas circunstancias en que te encuentras.

Las mujeres experimentamos dolor al parir; algunas tenemos un umbral alto y otras uno más bajo de tolerancia al dolor, pero lo importante es que una mujer que decide tener un parto natural (sin anestesia), es capaz de hacerlo.

El dolor forma parte de la vida; lo importante es encontrarle un sentido a ese dolor. La vida trae alegrías, pero también sufrimiento; lo importante es enfrentarse a él y sobrellevarlo.

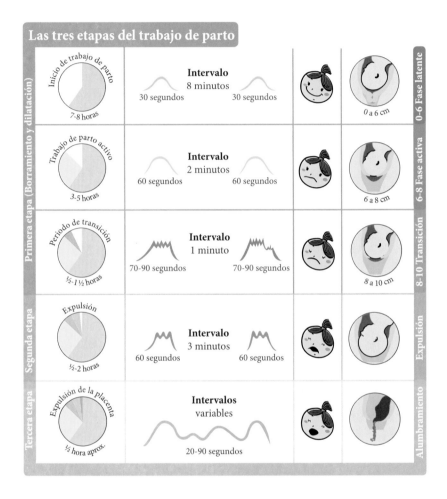

Las tres etapas del trabajo de parto

Uno de los tesoros que tenemos las mujeres es el de dar a luz y podemos hacerlo con serenidad, orgullo y dignidad, con todo nuestro esfuerzo porque se trata de nuestro hijo y porque queremos ayudarlo a nacer en las mejores condiciones de salud. Vale la pena intentarlo a pesar de que cuesta tiempo, dedicación, constancia, disciplina y sobre todo motivación, pero este esfuerzo no solo nos sirve para el parto, sino para todas las situaciones de la vida.

> Eres mujer, eres fuerte y recuerda que las endorfinas te ayudan a enfrentar el dolor, trabaja con él.

La sensación de triunfo por haber tenido un bebé en las mejores condiciones va a aumentar tu autoestima, tu confianza y sabrás que has dado a luz no solo a tu hijo sino también a ti, como mamá. El parto es normal, natural y saludable, el dolor que la mujer siente con cada contracción es igualmente natural, no amenaza su vida, su salud ni su integridad y le sirve de guía para tomar buenas decisiones.

Si escuchas a tu cuerpo, podrás interpretar adecuadamente las señales que el dolor te proporciona, encontrarás las posiciones más cómodas y efectivas para favorecer el nacimiento de tu hijo. El dolor en el parto es manejable y su percepción disminuye mucho al aplicar estrategias de manejo del dolor sin medicación como son la relajación, alternar posiciones, masajes, frío y calor, aromaterapia, hidroterapia y movimiento que son muy sencillas y efectivas.

El dolor en el parto tiene tres características específicas: es previsible (estás esperando la siguiente contracción), es intermitente (solo se presenta durante las contracciones que son intermitentes y dejan descansar entre una y la otra) y tiene un propósito inteligente (que nazca tu bebé).

La naturaleza te brinda un gran apoyo para manejar el dolor y es que conforme avanza el proceso del parto, el dolor durante las contracciones uterinas se incrementa y en esta medida tu cuerpo produce endorfinas cada vez en mayor cantidad. Las endorfinas son sustancias que tu cuerpo produce naturalmente parecidas al opio, que disminuyen la percepción del dolor por lo que podrás tolerarlo muy bien entrando en un estado alterado de conciencia muy característico en el parto. Puedes favorecer mayor producción de endorfinas utilizando estrategias como el masaje y la compañía continua de quien tú elijas que te ayude a sentirte querida y segura.

Por otro lado, el dolor te sirve de guía en el parto y te ayuda a saber qué hacer; también te fortalece, templa tu carácter y te ofrece la oportunidad de enfrentarlo con entereza y dignidad.

En ocasiones, los medicamentos contra el dolor pueden tener efectos adversos para la mamá y para el bebé, por lo que evitarlos es una decisión inteligente que implica un deseo de proteger al bebé y la propia salud. Por tanto, el dolor en el parto ha de manejarse con estrategias no invasivas evitando los medicamentos.

ESTRATEGIAS DEL MANEJO DEL DOLOR EN EL PARTO

Durante la fase temprana de 0 a 6 cm de dilatación (en tu casa)

- Tendrás contracciones irregulares, espaciadas, cortas y poco intensas.
- Procura descansar acostada sobre el lado izquierdo, ya que dentro de unas horas ya no podrás hacerlo y esto te permite ahorrar energía.
- Cuando las contracciones sean tan molestas que ya no te dejen seguir acostada, ponte de pie o siéntate. Evita acostarte bocarriba.
- Camina, en tu casa, en el jardín, en el parque, donde gustes, siempre acompañada de tu pareja o de otra persona que estimes.
- Durante cada contracción, haz una respiración profunda y al exhalar, relájate y luego respira normalmente; haz otra respiración profunda y descansa.
- Puedes distraerte tejiendo, viendo televisión, arreglando los cajones en el armario del bebé, etcétera.
- No permanezcas más de 20 minutos en una misma posición; constantemente alterna. La mecedora es muy agradable.
- Si tienes hambre o sed, puedes comer algo ligero y tomar sorbitos de agua (la fruta es ideal porque proporciona energía rápidamente).
- Espera con paciencia a tener buenas contracciones; trabaja en tu casa lo más que puedas. Comunícate con el médico para aclarar cualquier duda.

- Procura defecar en tu casa para evitar que en el hospital te apliquen un enema.
- Si no se te ha roto la fuente, date un baño tibio en la bañera; pero si ya se te rompió, usa la ducha.
- Sentarte en una pelota grande de gimnasia es muy cómodo durante las contracciones.

Durante la fase activa de 6 a 8 cm de dilatación (en el hospital)

- En el hospital, mantén la calma y la relajación en cada una de las contracciones.
- No debes estar sola. La compañía más adecuada es tu marido, tu instructora o una doula.
- Evita, durante el trabajo de parto, visitas de familiares o de otras personas, ya que no podrás trabajar ni concentrarte debidamente.
- Cambia con frecuencia de posición.
- Camina, siéntate en un sillón o en la cama con el respaldo totalmente levantado y con una almohada en el huequito de la cintura. También puedes ponerte a gatas, puedes recostarte o adoptar cualquier postura con la que te sientas cómoda.
- Procura que las maniobras médicas no se te practiquen por rutina. Tu médico deberá evaluar cuidadosamente si son necesarias, y buscará evitarlas:

    - Tricotomía (rasurado del vello púbico). Es una práctica obsoleta sin ninguna ventaja.
    - Enema evacuante (solo que tengas varios días sin evacuar y lo requieras).

Alterna constantement
la posición

- Suero endovenoso.
- Inducción o conducción del parto.
- Monitoreo fetal continuo.
- Bloqueo peridural (te resultará muy útil comentar estos puntos con tu médico, antes del parto).

- Concéntrate en mantener la relajación durante las contracciones y respira rítmica y lentamente o respira más rápido y más cortito según lo necesites.
- Pide a tu marido o a la persona que te acompaña que te masajee las palmas de las manos, las piernas y los pies.
- Escucha música que te agrade.
- Concéntrate en un punto focal, concreto; puede ser una imagen, una fotografía, una idea, tus sensaciones, etcétera.
- Siéntate en una pelota de gimnasia y mécete.

Durante la transición entre los 8 cm y la dilatación completa (10 cm)

- Mantente muy bien relajada en cada contracción. Concéntrate en tu trabajo de parto.
- Relájate totalmente y concentra la energía en ayudar a nacer a tu hijo. Procura visualizar al bebé tratando de salir de tu cuerpo.
- Presta atención a tu respiración y cuenta mentalmente las respiraciones que haces durante cada contracción.
- Repite en tu mente alguna frase positiva: "estoy relajada", "yo puedo hacerlo", "quiero conocerte", "quiero a mi bebé", "confío en Dios", "soy fuerte", "sí quiero, sí puedo".
- Cambia de posición frecuentemente.
- Si te molesta la espalda, ponte un rato a gatas o de rodillas, inclinada hacia delante.
- Camina para ir al baño cada 20 minutos.
- Relaja al máximo el periné y permite que se desplace hacia abajo, sin miedo.
- Alégrate, ya que estás terminando la dilatación del cuello uterino.
- Cúbrete la espalda y ponte calcetines.

- Estimula tus cinco sentidos:

Vista: punto focal, foto, imagen, etcétera.
Oído: música, palabras estimulantes.
Olfato: pañuelo con tu aroma predilecto.
Tacto: frío, calor, masaje.
Gusto: saborea un caramelo.

Expulsión

Nacimiento

- Imagina la sonrisa de tu hijo y ayúdalo a nacer.
- Si utilizas la mesa de partos, se necesitan dos o tres almohadas. Al pujar con cada contracción, es importante que te incorpores hasta quedar semisentada, mientras tu marido te sostiene la espalda, para que puedas relajarte. Pide pujar en cuclillas y evitar estar acostada sobre tu espalda.
- Si deseas un parto sin episiotomía, puja escuchando a tu cuerpo y pídelo a tu médico. Recuerda que a partir del momento en que salga la cabecita del bebé, no debes pujar. Lo que harás será relajar profundamente y bajar tu periné, permitiéndo que el bebé salga suave y lentamente para mantener la integridad de tu periné; sopla rítmicamente como si apagaras las velas de un pastel.
- Entre una contracción y otra, debes descansar relajada.
- Asegurarte de que pujes manteniendo la cara y los hombros relajados.

Debes pujar de la siguiente manera:

Al iniciarse la contracción toma aire y al exhalar, relaja el periné y todo el cuerpo.

Conéctate con tus sensaciones, adopta la posición que encuentres más cómoda y cámbiala tantas veces como lo requieras; puede ser en cuclillas, a gatas en cuatro puntos, hincada, a horcajadas, acostada de lado, de pie, dentro de la tina, sentada, en el banquito para partos, en el excusado o en la regadera.

Practica tu ejercicio de expulsión desde los ocho meses.

Al sentir un fuerte deseo de pujar, durante las contracciones uterinas, inhala profundamente relajándote al exhalar y puja justo con la fuerza y dirección que tu cuerpo te indique.

Hazlo confiadamente sin temor y ayuda a tu bebé a nacer. Recuerda que al pujar adecuadamente sentirás mucho alivio e incluso podrás disfrutar intensamente tu parto.

Cuando sientas deseo de pujo durante cada contracción, debes pujar como tu cuerpo te lo indique manteniendo relajado tu periné, tu cara y tus hombros. Puja varias veces, alternando posiciones verticales hasta que la cabecita del bebé se apoye en tu periné y puedas tocarla. Concéntrate en pujar con ayuda de la contracción. Podrás reponerte entre una contracción y otra. Con ayuda del médico ve pujando suavemente para que salga la cabeza y después suavemente los hombros en la siguiente contracción.

Al pujar adecuadamente se suman cuatro fuerzas muy importantes:

- La contracción uterina.
- La presión del aire contenido en pulmones, seis segundos como máximo, que hace que el diafragma descienda sobre el útero.
- El pujo, empujando al bebé con la pared abdominal hacia abajo.
- La posición vertical, para aprovechar la gravedad.

Al pujar adecuadamente se favorece el descenso y la rotación de la cabeza del bebé y se evitan intervenciones como la episiotomía, la maniobra de Kristeller y el uso de fórceps.

INTERVENCIONES MÉDICAS EN EL PARTO

Las intervenciones deberán utilizarse solo en caso de indicación médica y con tu consentimiento. El parto es un proceso natural que debe realizarse sin intervenciones rutinarias para favorecer la salud de la madre y el bebé.

Al llegar al hospital, el médico debe valorar a la madre para después tomar las decisiones más adecuadas en cada caso.

Exámenes pélvicos (tacto vaginal)

Por medio del tacto, se determina el estado del borramiento y dilatación del cuello uterino y la posición de la cabecita del bebé. Durante el trabajo de parto, los tactos sirven para checar el progreso del mismo. Deben hacerse los menos posibles y evitarlos si la fuente está rota para prevenir infección. Si te relajas, no serán molestos.

Fluidos intravenosos

No deben usarse rutinariamente, solo por indicación médica específica cuando se aplica un bloqueo, se practica una operación cesárea o la mujer requiere algún medicamento. Para hidratar adecuadamente a la mujer en trabajo de parto debe beber agua o jugos de frutas conforme lo necesite.

Inductoconducción

Es el procedimiento por medio del cual se administra por vía intravenosa "oxitocina artificial" con objeto de iniciar o estimular las contracciones uterinas.

Debe haber una razón médica importante que justifique la inductoconducción ya que lo mejor para la salud de la madre y el bebé es que el trabajo de parto inicie espontáneamente y progrese a libre evolución.

Amniotomía

Es la ruptura artificial de las membranas o bolsa de las aguas por medio de un instrumento llamado amniotomo.

Esto no debe hacerse por rutina, ya que la fuente se romperá de forma espontánea en cualquier momento del trabajo de parto y es un elemento que protege al bebé.

Monitoreo fetal electrónico

Por medio de un monitor se registra, se grafica e imprime la intensidad y la frecuencia de las contracciones uterinas, la frecuencia cardiaca fetal y los movimientos del bebé.

Es importante monitorear al bebé pero no es necesario que este monitoreo sea continuo. Debe ser intermitente para permitir a la madre moverse, cambiar de posición, caminar e ir al baño. Es importante evitar confinar a la madre en cama para favorecer tanto el parto natural como la salud de la madre y la de su bebé.

Bloqueo peridural

Es anestesia que se coloca en la espalda de la madre en el espacio peridural de la columna vertebral. Se utiliza cuando la mujer requiere una operación cesárea. No es necesaria para el parto natural ya que las molestias y el dolor que se presentan durante el trabajo de parto pueden manejarse con estrategias no farmacológicas de manejo del estrés y del dolor como son las técnicas de relajación, la hidroterapia (baño en tina o regadera), masajes, cambios de posición, balanceo de la pelvis y apoyo continuo a la madre.

Episiotomía

Es una incisión quirúrgica que se realiza en el periné el cual se encuentra entre el introito de la vagina y el recto. No debe practicarse de rutina, y debe evitarse. Acorta la expulsión solo en cuatro contracciones, por lo que se justifica únicamente en casos de fuerza mayor. Lo más

> Evita las intervenciones médicas rutinarias y, en caso de necesitar alguna, debes dar tu consentimiento informado.

recomendable para la salud es esperar a que la expulsión se presente de forma espontánea sin intervenir. Después del nacimiento del bebé y de la placenta, la episiotomía requiere suturarse para lo cual se utiliza anestesia local y requiere de varios días de recuperación. La episiotomía puede evitarse y, como ya se dijo, no debe practicarse de forma rutinaria. Para preparar una expulsión sin episiotomía haz diariamente ejercicios de Kegel (contrae y relaja el periné), y pídeselo a tu médico.

Maniobra de Kristeller

Debe evitarse. Consiste en que durante la contracción y mientras tú pujas, un médico empuja a tu bebé desde el exterior, presionando tu abdomen.

Fórceps

No se usan de forma rutinaria, solo en algún caso específico que por indicación médica se requiera ayudar al bebé a nacer más de prisa. Son dos cucharas que se colocan suavemente a los lados de la cabeza del bebé que sirven para ayudar al bebé a salir cuando hay algún problema, son instrumentos de trabajo en manos de un experto.

GUÍA DE TU TRABAJO DE PARTO

Primera etapa

Borramiento y dilatación
del cuello uterino o cérvix

Esta primera etapa es la más larga en una primípara, aproximadamente durará de 12 a 16 horas, pueden permanecer en su casa hasta que ella lo desee si no hay algún síntoma que la obligue a acudir al hospital. En la multípara este tiempo se reduce a 6

o 7 horas. El cérvix se irá abriendo lentamente. Aquí lo importante es que ya estás
iniciando tu trabajo de parto y las contracciones irán subiendo de duración, intensidad y frecuencia, paulatinamente, siempre
con pequeños lapsos de descanso, que te
permitirán controlar tus sensaciones.

¿Qué puedes hacer antes de ir al hospital?

En casa, antes del verdadero trabajo de parto, debes descansar,
comer ligero y distraerte viendo una película o escuchando música agradable; dormir, darte un baño relajante y, sobre todo, tener
paciencia. Es bueno esperar en casa lo más posible y avisar al
médico si se rompen las membranas.

1. Fase latente

La mujer está muy despierta, emocionada y platicadora, generalmente ansiosa. Se puede sentir preocupada por recordar lo que
tiene qué hacer. Está muy alerta.

Poco a poco irán aumentando la intensidad, frecuencia y duración de las contracciones que se sienten en la espalda baja
y puede haber molestias o sensaciones de estiramiento hacia
el pubis. El saco amniótico se puede romper en esta etapa o bien
puede salir el tapón mucoso.

¿QUÉ ESTÁ SUCEDIENDO?

En casa

- Borramiento de 0 a 100 %.
- Dilatación de 0 a 6 centímetros.
- Características de las contracciones:

  - Duran de 30 a 40 segundos.
  - Se presentan cada 5 a 30 minutos.

- Se endurece el vientre y puede haber ligera molestia en ingles o pubis.

- Salida del tapón mucoso.

Si te acuestas de lado, caminas y cambias de posición, las contracciones persisten y poco a poco se regularizan. (Tiempo aproximado: de 8 a 12 horas).

¿QUÉ PUEDE SENTIR ELLA?

- Dolor en la parte baja de la espalda (cintura).
- Molestia parecida a la que acompaña la menstruación.
- Diarrea.
- Ansiedad y estado de alerta.
- Entusiasmo.

¿QUÉ PUEDE HACER ELLA?

- Descansa, duerme, ahorra energía y haz oración.
- Distráete arreglando un cajón, ve televisión, etcétera.
- Bebe agua y come algo ligero y nutritivo.
- Procura ir al baño.
- Evita las visitas y recuerda que aún no ha llegado el momento de avisar a la familia.
- Espera en casa a que las contracciones tengan mayor duración, intensidad y frecuencia.

¿QUÉ PUEDE HACER ÉL?

- Mantente en calma y contento; ora con ella.
- Procura acompañar a tu mujer. Anímala, escúchala y aliéntala.
- Ayuda a que duerma o descanse.
- Hazte cargo de tus otros hijos (¿quién los cuidará?).
- Ten paciencia, ya que apenas está iniciándose el trabajo de parto.
- Come y descansa tú también.
- Cuenta e identifica las características de las contracciones.

- Poner música, ver una película o jugar a las cartas les ayudará a hacer tiempo.
- Ayúdala a relajarse y a que no altere su respiración.
- Aprecia el esfuerzo que hace.
- Espera pacientemente a que las contracciones se regularicen antes de irse al hospital (DIF: Duración, Intensidad y Frecuencia).
- Asegúrate de que el coche tenga gasolina y de llevar lo necesario para ingresar al hospital.

2. Fase activa

Estás ya en franco trabajo de parto, la dilatación progresa. Necesitas concentrarte, ya no platicas como en la fase anterior, al caminar tienes que detenerte con cada contracción pues las sientes más intensas. Tu marido toma parte más activa ayudándote, necesitas y pides su compañía. Estás más concentrada en tu trabajo de parto y más atenta a todo lo que sucede.

¿QUÉ ESTÁ SUCEDIENDO?

EN CASA

- Borramiento de 100 %.
- Dilatación de 6 a 8 centímetros.
- Características de las contracciones:

  - Duran de 45 a 60 segundos.
  - Se presentan de 2 a 5 minutos.

- Posible ruptura de membranas.

TOMAN LA DECISIÓN DE ACUDIR AL HOSPITAL

¿QUÉ PUEDE SENTIR ELLA?

- Dolor más intenso en la parte baja de la espalda.
- Seriedad y pocas ganas de hablar.

- Mayor concentración.
- Deseo de no estar sola.
- Aprensión.
- Incertidumbre.
- Rubor o palidez.
- Ánimo y entusiasmo.
- Deseo de conocer al bebé.

¿QUÉ PUEDE HACER ELLA?

- Camina.
- Cambia frecuentemente de posición (sentada, de pie, de rodillas, a gatas).
- Evita acostarte bocarriba, porque te molestarán las contracciones y entorpecerás la circulación.
- Toma una ducha tibia.
- Respira rítmica y lentamente durante cada contracción.
- Orina por lo menos una vez por hora.
- Toma sorbitos de agua.
- Concéntrate más en tu respiración y mantente relajada durante cada contracción.
- Durante los tactos vaginales que el médico hará para evaluar la dilatación, relaja muy bien el periné y respira profunda y lentamente.
- Mantente siempre tranquila y relajada. Al ir al hospital, podrás caminar perfectamente.
- Acepta las contracciones, deja que pasen una a una, recuerda que son necesarias para que tu bebé nazca.
- Utiliza el masaje en el vientre con las yemas de los dedos, conocido como *effleurage*.
- Utiliza puntos focales internos o externos para mantener tu concentración.
- Entre contracción y contracción, trata de descansar.

¿QUÉ PUEDE HACER ÉL?

- Apóyala, mímala.
- Ayúdala a relajarse.

- Recuérdale que cambie de posición cada 20 o 30 minutos.
- Dale masaje en la espalda, piernas o manos, si ella así lo desea.
- Elimina distracciones que impidan su concentración (ruidos, televisión, visitas).
- Ayúdala a estar cómoda, cuidando su postura; usa almohadas y mantén un ambiente agradable (música, luz, temperatura).
- Ayúdala a respirar rítmica y lentamente.
- Mantén sus labios húmedos. Puede tomar agua, lavarse los dientes, chupar una toallita mojada o un caramelo.
- Recuérdale el punto focal para que se concentre (foto, imagen, música).
- Aplícale compresas frías o calientes en la cara, cuello y en el área dolorida.
- Anota la frecuencia de las contracciones.
- Mantente tranquilo.
- Concéntrate en acompañar a tu mujer sin otro tipo de distracciones y ayúdale con comentarios o sugerencias precisas.
- Las palabras de aliento son importantes, ella las agradecerá.
- Evita sacar tu celular para jugar o ver mensajes, es una gran tentación, apágalo y guárdalo.
- Dale a beber sorbos de agua y acompáñala a orinar cada media hora.
- Tápala o destápala según le haga falta, mantenla confortable con almohadas.
- Ofrécele crema para los labios resecos.
- Aplica presión y masaje en la zona lumbar.
- Abrázala sosteniéndola de vez en cuando y dile que la amas.
- Protege los asientos del auto con una toalla o un trozo de material plástico.
- Haz agradable y relajado el trayecto al hospital (debes definir previamente la ruta, tratando de evitar los topes y baches). Detén el coche o reduce la velocidad durante las contracciones.

3. Transición

Aunque esta fase es sin duda la más fuerte y difícil, es también la más corta. Dura

Periodo de transición
½-1 ½ horas

alrededor de una hora. El cérvix se dilatará de 8 a 10 centímetros. Las contracciones se vuelven más intensas, una detrás de la otra y no se identifica bien cuándo termina y cuándo empieza otra. Lo que sucede es que el bebé busca salir del útero para entrar al canal vaginal. La mujer siente presión en el periné y la cabecita desciende.

Hay algunos síntomas que identifican a esta fase como el cambio de humor repentino, la ansiedad, la sensación de calor e inmediatamente de frío, escalofríos, hipo y finalmente sensación de querer pujar.

Es importante que estés consciente de que esta etapa te acerca al nacimiento. Quienes te acompañan deberán darte su aprobación, admirar tu esfuerzo, confiar en ti, alentarte, animarte y, sobre todo, apoyarte con una actitud paciente y cariñosa. Es la recta final. Ayuda mucho cambiar de posición procurando la verticalidad, sentarse en el excusado o en la pelota permitirán que relajes mejor tu periné. Debes mantener ante todo tu concentración.

Un masaje en la espalda o en la cadera te consuela mucho si te sientes a gusto. Sigan esforzándose y mantengan la ilusión por recibir y conocer a su bebé.

Meterte a la tina o a la regadera ayuda mucho a manejar el dolor.

¿QUÉ ESTÁ SUCEDIENDO?

En el hospital

- Borramiento del 100 %.
- Dilatación de 8 a 10 centímetros.
- Características de las contracciones:

  - Duran de 50 a 90 segundos.
  - Pueden encimarse o tener un doble pico.
  - Son las contracciones más intensas, más largas y más frecuentes del trabajo de parto.

- Sensación de presión en el recto.
- Calambres en las ingles o piernas.
- Posible deseo de pujo.
- Tiempo aproximado: de 10 a 60 minutos.

- Posible ruptura de la bolsa de agua.
- Náuseas o vómito.
- Cansancio.
- Puede dormitar entre contracciones y, al llegar la siguiente, costarle trabajo controlarla.
- Cambio en estado de ánimo: irritada, inquieta, ansiosa.
- Harta de trabajar, siente que ya no puede más, ganas de llorar o de terminar pronto.
- Sudoración, escalofríos, temblores e hipo, frío o calor.
- Molestia muy intensa en la parte baja de la espalda.
- Puede haber deseo de pujo.
- Se apoya en su acompañante, aunque de repente lo acepta, después lo rechaza.
- Le da sueño entre contracción y contracción.
- La mujer se concentra más en ella, entra en un estado alterado de conciencia.

¿QUÉ PUEDE HACER ELLA?

- Recuerda que te encuentras en la etapa más difícil, pero más corta, del trabajo de parto, ya falta muy poco.
- Concéntrate en un punto focal interno.
- Visualiza a tu bebé tratando de nacer. Imagina el cuello dilatándose y el útero trabajando.
- Relájate durante las contracciones y también en los intervalos, tratando de descansar.
- No olvides respirar, cuenta tus respiraciones.
- Utiliza todos los recursos de manejo del dolor y enfrenta las contracciones una por una. (Cambia de posición, ve al baño frecuentemente, ponte de pie, camina, y balancea la cadera).
- Estimula los cinco sentidos.
- Mantén el optimismo: estás a punto de conocer a tu bebé.
- Mantén la calma, la tranquilidad y la relajación, busca posturas cómodas y siente a tu bebé que ya viene entrando al canal del parto.
- Este esfuerzo vale la pena, ¡anímate! Ayuda a tu bebé.

- Confía en ella y hazle caso.
- Ayúdale a que maneje las contracciones, una a la vez.
- Dile que la amas y que te sientes muy orgulloso de ella.
- Aprecia el trabajo que está haciendo por proteger al hijo de ambos.
- Debes estar atento para ayudarla a utilizar la estrategia más conveniente para cada contracción.
- Haz contacto visual, apóyala para que se relaje y respira con ella.
- Anímala, dile lo bien que lo está haciendo y recuérdale que falta muy poco.
- Ayúdala a descansar y a relajarse entre contracciones.
- Dale masaje en la espalda o donde ella lo desee.
- Compréndela y tenle mucha paciencia.
- Habla por ella ante los médicos y familiares.
- En caso de que pierda el control, colócate frente a ella, haz contacto visual y respira lentamente con ella hasta que recobre la calma y vuelva a relajarse.
- Compréndela y trasmítele todo tu cariño.
- Admira su capacidad y esfuerzo, permanece a su lado en todo momento de forma incondicional.
- Tomar en cuenta que es difícil esta etapa para la madre, que ya está muy cansada y que le urge que nazca el bebé.
- Evita las distracciones de familiares, sobre todo en esta etapa que la mujer está sumamente ansiosa.
- Anímala a que se siente en el excusado, en una pelota o en un banco.
- Mantén la paciencia y el optimismo, ella te necesita.

Segunda etapa

Periodo de expulsión o nacimiento

El periodo expulsivo se presenta a partir de que tengas la dilatación completa del cuello del útero y el bebé pueda deslizarse por el canal del parto.

- Las contracciones empujan al bebé, se espacian, tienen gran potencia y duran entre 60 y 90 segundos.
- Sentirás fuerte presión en el periné y un franco deseo de pujo.
- El periné se abomba al dibujarse la cabeza por nacer, saldrá moco y un poco de sangre.
- Entre contracción y contracción debes respirar suavemente y relajarte.
- Al pujar durante cada contracción puedes gruñir o hacer ruido por el esfuerzo, pues estás tratando de expulsar a tu bebé, lo que requiere de gran esfuerzo físico y de concentración.
- Al pujar, sentirás consuelo y gran alivio.

El nacimiento será poco a poco, es un trabajo que realizan los dos en sincronía perfecta, ya que mientras tú pujas, tu bebé realiza varios movimientos conocidos como "mecanismos del trabajo de parto", a saber: desciende al canal de parto, flexiona el cuello agachando su cabeza, realiza la rotación interna de su cabeza, asoma su coronilla, extiende su cuello al nacer, realiza la rotación externa para sacar uno a uno sus hombros y completar el proceso que implica nacer.

¿QUÉ ESTÁ SUCEDIENDO?

En el hospital

- Las contracciones del útero empujan al bebé hacia fuera y lo conducen por el canal vaginal para nacer.
- Características de las contracciones:
  - Duran de 50 a 90 segundos.
  - Se espacian, presentándose cada 2 a 5 minutos.
  - Provocan un deseo de pujo casi incontrolable.
- Puede aparecer un pequeño sangrado vaginal: es el nacimiento del bebé.
- Tiempo aproximado: de 30 minutos a 2 horas o un poco más.

¿QUÉ PUEDE SENTIR ELLA?

- Deseo de pujo incontrolable.
- Presión intensa en la espalda o en el recto.

- Un estado de alerta, un "segundo aire" de energía para pujar con fuerza por la presencia de la adrenalina.
- Sensación de extensión, distensión o ardor en el periné cuando el bebé corona.
- Cansancio entre las contracciones.
- Sientes que ayudas a tu hijo con tu participación activa en el parto.
- Gran alivio al pujar si los músculos del piso pélvico se encuentran relajados.
- Éxtasis cuando el bebé está naciendo.
- Una alegría indescriptible.
- Sensación de logro y éxito.

¿QUÉ PUEDE HACER ELLA?

- Adopta posiciones cómodas para pujar y altérnalas según te sientas mejor (semisentada en banquito, cuclillas, de pie, acostada de lado levantando una pierna).
- Evita pujar acostada sobre tu espalda, busca la verticalidad.
- Puja aprovechando la gravedad y acompaña a la fuerza de las contracciones.
- Conscientemente, relaja las piernas, hombros, cuello, maxilares y periné al pujar.
- En cada contracción, utiliza tus abdominales empujando al bebé fuertemente hacia abajo.
- Mantén la concentración.
- Escucha a tu cuerpo y empuja a tu bebé hacia abajo como tu cuerpo te lo pida y relaja al máximo el periné.
- Toca la cabecita de tu bebé que empieza a asomarse por tu vagina.
- Recuerda cambiar el aire cuando pujas.
- Descansa entre las contracciones y relájate profundamente.
- Abre los ojos: tu hijo está naciendo.

Si quieres evitar la episiotomía (corte quirúrgico realizado por el médico en el periné), no pujes a partir de que la cabecita corone. Relaja el periné bajándolo todo lo que puedas y permite que el bebé salga lentamente. Al mismo tiempo, sopla rítmicamente, como si apagaras las velas de un pastel de cumpleaños hasta que termine cada contracción.

¿QUÉ PUEDE HACER ÉL?

- Permanece siempre junto a ella.
- Anímala y apóyala.
- Evita distracciones familiares o de otras personas, evita usar tu celular.
- Recuérdale que descanse entre las contracciones.
- Pídele que puje hacia abajo y que relaje su cara y periné.
- Cuéntale e indícale que cambie de aire cada 6 segundos.
- Refréscale la cara con una compresa húmeda.
- Sostenle la espalda para que, mientras puja, se mantenga en una posición semisentada y aproveche la fuerza de gravedad.
- Confía en ella y en su capacidad para dar a luz.
- Aliéntala asegurándole que cada vez falta menos para recibir a su bebé.
- Conoce a tu hijo recién llegado, háblale y haz contacto visual.
- Comparte con tu mujer la experiencia de traer al mundo a tu hijo.

Tercera etapa

Alumbramiento o expulsión de la placenta

¿QUÉ ESTÁ SUCEDIENDO?

- La placenta se desprende del útero y se expulsa por el canal vaginal.
- Características de las contracciones:

  - Duran 30 segundos.
  - Se presentan cada 5 minutos.

- Tiempo aproximado: 5 a 20 minutos.
- La matriz se endurece formando el globo de seguridad.

- Después de la expulsión de la placenta, habrá sangrado vaginal abundante, es normal.
- Si hubo episiotomía, el médico sutura utilizando anestesia local sobre el periné.
- Pide al bebé y ponlo en contacto piel a piel.

¿QUÉ PUEDE SENTIR ELLA?

- Contracciones moderadas que ya no molestan.
- Curiosidad por examinar al bebé.
- Se cuestiona a sí misma sobre lo experimentado y su comportamiento durante la labor de parto.
- Temblor y escalofríos.
- Mucho sueño o estado de alerta.
- Fatiga.
- Euforia, emoción, alegría y paz.
- Agradecimiento; sentimiento de logro y éxito personal enormes.
- Gran felicidad.
- Bienestar físico.

¿QUÉ PUEDE HACER ELLA?

- Puja, si es necesario.
- Continúa relajada respirando normalmente.
- Conoce a tu hijo y abrázalo, asegurándote que esté en contacto piel a piel para que se mantenga calientito.
- Ofrécele el pecho.
- Busca hacer contacto visual con tu bebé.

¿QUÉ PUEDE HACER ÉL?

- Comparte con tu mujer y tu hijo estos momentos únicos, que son el inicio de la vida en familia, estando los tres juntos, apoyándose y demostrando su amor.
- Expresa libremente tus sentimientos y emociones.

- Si es necesario, carga al bebé en contacto piel a piel, cubriéndolo por encima, háblale y busca contacto visual con él (a 20 centimetros de su carita).
- Cubre a tu mujer y asegúrate de que esté lo más cómoda posible.
- Avisa a la familia.

Resumen

Durante cada contracción:

- Haz una respiración profunda al sentir que inicia la contracción y relájate; respira rítmica y lentamente durante todo el tiempo que la sientas y haz otra respiración profunda cuando termine.
- Centra la atención en alguna imagen mental o en un objeto real.

Relájate:

- Mantente en una posición cómoda.

Durante los intervalos entre contracciones:

- Descansa para ahorrar energía.
- Puedes tomar sorbitos de agua o chupar pedazos de hielo.
- Cambia de posición por lo menos cada media hora.
- Ve al baño con frecuencia.
- Usa crema en los labios o enjuague bucal, si te hace falta.
- Límpiate la cara y el cuello con una toalla húmeda.
- Relájate y está lista para la siguiente contracción.

Testimonio: Ismael y Areli

Todo empezó cuando nos enteramos que íbamos a tener un hijo. A partir de ese momento nos dedicamos a pensar en todo lo que teníamos que hacer y preparar para la llegada de nuestro bebito.

Ismael

Cuando descubrimos que íbamos a ser papás, Areli, mi esposa, me dijo que quería tener al bebé con un parto psicoprofiláctico y yo le pregunté de qué se trataba. Ella me explicó en lo que consistía, que había que asistir a unos cursos de preparación y prácticas relacionadas con el embarazo, y pidió mi apoyo para realizarlos.

Me gustó la idea y a ella le agradó el que yo participara activamente durante el embarazo y el parto. La apoyé incondicionalmente y me capacité para comprender mejor el proceso.

Nunca dudamos en que podríamos lograrlo, pero ambos necesitábamos conocimientos, información y, sobre todo, alguien en quien confiar para que respondiera un sinnúmero de preguntas.

Decidimos tomar el curso, leíamos juntos durante la noche el material que nos presentaban. La impresión que me causó el curso me convenció de que teníamos que capacitarnos y seguir los consejos que nos daban.

No faltamos a ninguna sesión, fuimos participativos y preguntábamos sobre cualquier duda. Aprendí a entenderla más, a consentirla y jamás le retiré mi apoyo. Continué alentándola e infundiéndole confianza: sabía que si permanecía a su lado y le trasmitía seguridad, ella lo lograría.

Cuando visitamos al médico, nos comentó que el bebé ya se había encajado y que lo más probable era que naciera entre el 27 de diciembre y el 9 de enero. Nuestro médico en ocasiones adoptaba actitudes que no me agradaban, porque contradecían lo que Areli y yo queríamos: estar juntos en todas las consultas, exámenes, cursos, durante el trabajo de parto y en el mismo parto. Hablamos con nuestra instructora del curso psicoprofiláctico y nos recomendó que antes de tomar cualquier decisión, era conveniente hablar con el médico acerca de lo que esperábamos de él.

El 17 de diciembre, a las 21:00 horas, mientras cenábamos en casa de mis suegros, ella dijo que se sentía un tanto angustiada porque el bebé prácticamente no se había movido y tenía miedo de lo que pronto acontecería. Solo me restaba darle fuerza, consentirla y alentarla, diciéndole que todo saldría muy bien.

A las 7:00 del día 18 de diciembre Areli se levantó y me comentó que se sentía ligeramente mojada. De pronto empezaron las contracciones, decidimos empezar a cronometrarlas; inició con contracciones irregulares en intensidad y duración.

Así pasaron 40 minutos y las contracciones eran ya tres en 8 minutos. Decidimos llamarle al médico y él nos pidió que fuéramos al hospital, donde nos alcanzaría.

Empezamos a hacer nuestra maleta y la del *bebé*, siguiendo el recordatorio de *Embarazo. Guía práctica para padres*, así como las recomendaciones del hospital. Desde la cama, Areli me dictaba lo que se requería; a las 8:15 se inició una serie de contracciones cada dos minutos, con un fuerte deseo de pujo. En ese momento arrojó el tapón.

Mi esposa se dio un baño de agua caliente, pero las contracciones eran más intensas y el deseo de pujo continuaba. A las 8:50 salimos de casa a toda prisa; en cada contracción, ella se ponía en cuclillas o a gatas.

De camino al hospital tuvo tres contracciones, con el deseo de pujo cada vez más intenso; llegamos al hospital a las 9:10 inmediatamente pasó a la sala de partos. Mi esposa les informó que era un parto psicoprofiláctico.

Nosotros ya conocíamos todos los pasos y procesos hospitalarios, así como los síntomas y lo que estaba sucediendo a nuestro alrededor. Cuando entramos en la sala de partos la acomodaron en la silla de parto y el bebé ya había coronado; pasaron escasos 10 minutos de haber llegado al hospital cuando nuestro hijo ya había nacido con un parto psicoprofiláctico. Nació solo con la ayuda de su mamá; no fue necesario hacer la tricotomía, ni aplicar enema y jamás conocimos al anestesiólogo; fue un parto natural y con todos los sentidos conscientes. Mediante la prueba de Apgar calificaron al bebé con 9-9; pesó 2.875 kg y midió 49 cm. Nos fuimos inmediatamente a la habitación; mi esposa permaneció en la sala de recuperación tan solo 10 minutos y a las 11:00 de la mañana del día siguiente, 19 de diciembre, nos fuimos a casa.

Nos sentimos muy satisfechos por haber logrado el objetivo. Actualmente Areli amamanta a nuestro hijo.

Areli

Me considero muy afortunada por haber tenido un trabajo de parto de solo dos horas, siendo primeriza, y además, sin dolor alguno. Pero mi mayor fortuna es contar con un esposo que me apoyó y vivió conmigo, casi en carne propia, el embarazo y el nacimiento de nuestro bebé.

Decidimos tomar el curso para el parto psicoprofiláctico porque estábamos convencidos que podíamos aprender mucho. Únicamente sabíamos que es muy importante apegarse en todo a la propia naturaleza, que es muy sabia.

Lo que me ayudó mucho durante el breve trabajo de parto fue el haber practicado la relajación y la respiración profunda y lenta durante el último trimestre del embarazo, en especial cuando se presentaban contracciones esporádicas.

Ismael y yo nos sentimos confiados durante cada fase del trabajo de parto porque comprendíamos perfectamente lo que estaba sucediendo. Jamás sentimos temor y pasamos por cada una de las fases y sus síntomas en tan solo dos horas: borramiento y dilatación, transición, expulsión y alumbramiento con un poco de hambre, frío, calor y náuseas, pero sobre todo con muchísima emoción.

Al principio, al sentir las primeras tres contracciones y una molestia parecida al cólico, pensé que si esta persistía por mucho tiempo no lo soportaría, pero Ismael estaba conmigo para recordarme que debía estar tranquila, relajarme y respirar profundamente. Cada vez que comenzaba una contracción, yo hacía una respiración de limpieza y mi cuerpo empezaba automáticamente a relajarse. ¡No podía creerlo! La práctica me había condicionado a relajarme en cuestión de segundos. Luego contaba hasta ocho respiraciones profundas y ¡sorpresa!, la contracción había desaparecido. Entre una contracción y otra corríamos para preparar las maletas, que no estaban listas porque yo solo tenía 37 semanas de gestación.

De pronto, empecé a sentir ¡deseo de pujo! Mi respiración se alteró por completo e Ismael me ayudó a recuperar el ritmo normal y me recordó que debía controlarme.

Estas contracciones provocaron la salida del tapón y quise tomar un baño, que sin duda me ayudaría a sentirme limpia y relajarme un poco más; por poco comienzo a pujar bajo la ducha, pero no sabía si estaba totalmente dilatada.

Prácticamente, Ismael tuvo que sacarme de la ducha y nos fuimos al hospital. Entramos corriendo directamente a la sala de labor sin pasar por el trámite de ingreso. Además, yo me negaba a seguir adelante si mi esposo no pasaba conmigo por cada puerta. El único momento en que nos separamos fue cuando tuvo que vestirse con ropa de quirófano, antes de entrar en la sala de partos.

En esa sala había una cama y la silla psicoprofiláctica, la que acomodaron según lo pedí, hasta sentirme cómoda.

Hasta ese momento tuve que reprimir el deseo de pujo. Ismael ya estaba otra vez conmigo y solo había que esperar a que terminaran de prepararme, para poder pujar.

Vino la contracción y con el primer pujo sentí descender y salir la cabeza de nuestro bebé a través del canal vaginal. Esa sensación es una de las más emocionantes que recuerdo de esa experiencia.

Esperamos a que viniera la siguiente contracción y al segundo pujo sentí salir el resto del cuerpecito de mi hijo. Lo primero que vi fue su cabecita y su brazo. Después de 15 segundos escuchamos el llanto de triunfo de nuestro bebé.

Me inyectaron un poco de oxitocina para el alumbramiento de la placenta, que expulsé casi de inmediato. Luego me pusieron al bebé en brazos e Ismael estaba junto a nosotros. Mi primer pensamiento fue: "No te preocupes, bebé; sabemos lo que necesitas para estar bien y te lo vamos a dar". Me sentí muy fuerte, muy "mamá".

Agradecemos a Dios que nos haya bendecido con este hijo y que nos haya permitido dar vida.

Consideramos que el haber tomado el curso psicoprofiláctico fue de suma importancia. Sin él, jamás hubié ramos podido lograr un parto con estas características y no hubiéramos comprendido ni gozado al máximo esa grandiosa experiencia que, de ser pareja, nos convirtió en familia.

Queremos agradecer profundamente a nuestra instructora, la señora María Luisa Ruiz Díaz por su excelente labor y por el profesionalismo, la confianza y la amistad que nos brindó en esos días. Gracias a su apoyo vivimos con plenitud tan feliz acontecimiento.

Areli Fares de Rivera, Ismael Rivera Cruces
e Ismael Rivera Fares

EL DOLOR EN EL PARTO

El parto puede o no ser doloroso. Por lo regular, el proceso de dar a luz implica sensaciones de dolor que son absolutamente normales. Cada mujer percibe diferentes niveles de dolor dependiendo de su individualidad, las circunstancias particulares de su trabajo de parto, su educación, las experiencias previas y su actitud ante la vida.

También existe la posibilidad de tener un parto con poco o ningún dolor, como algunas mujeres lo refieren. Es muy probable que puedas manejar adecuadamente el dolor utilizando las técnicas de relajación y de respiración, así como las diversas estrategias que aprenderás en tu curso de psicoprofilaxis, en las cuales nunca se usan medicamentos.

Sin embargo, la opción de emplear medicamentos para el dolor es una decisión personal, más que una decisión médica. Por ello, reflexiona, decide cómo te gustaría manejar el dolor en tu parto y coméntalo con tu médico antes de que se inicie tu labor de parto.

> Es posible enfrentar el dolor del parto exitosamente sin medicación.

Recuerda que los fármacos conllevan riesgos potenciales o efectos colaterales para ti y para tu bebé y, sobre todo, recuerda que eres capaz de parir de forma natural, sin medicamentos si así lo decides; por ello es importante que evalúes los riesgos y los beneficios según tus circunstancias personales, para tomar decisiones acertadas.

Es necesario que tu médico conozca, con anticipación, qué es lo que deseas, a fin de que apoye tu plan de parto y tu esfuerzo lo mejor posible. Si quieres contar con más elementos para decidir, analiza cuidadosamente la siguiente información:

Bloqueo epidural

Inyectado por la espalda, en el espacio peridural, a través de un catéter por el que se puede repetir la dosis.

¿Cuándo se usa?

- Fase activa, de transición y expulsión. También en cesárea.

VENTAJAS

- Elimina el dolor sin sedar, permitiendo que la madre esté consciente.

DESVENTAJAS

- Incomodidad al administrarse, durante 5 o 10 minutos. Tarda de 10 a 20 minutos en hacer efecto. A veces, su efecto se lateraliza, por lo que mitiga el dolor solo de un lado.
- Puede disminuir la frecuencia e intensidad de las contracciones; por tanto, se requiere usar su suero con oxitocina para conducir el parto.
- Ocasiona pérdida de tono en los músculos pélvicos, dificultando la rotación espontánea de la cabecita del bebé.
- Puede provocar baja tensión arterial materna y, en consecuencia, menor flujo de sangre al feto.
- La madre debe permanecer en cama y con monitoreo fetal continuo, lo que le impide la libertad de movimiento y deambulación.
- Se requiere sondear la vejiga. Inhibe el deseo y la habilidad de pujar, aumentando la probabilidad de fórceps, maniobra de Kristeller y cesárea.

Las drogas de la familia de las caínas pueden provocar alergias raras en la madre, además de efectos como ansiedad, hipertensión, desmayo y depresión respiratoria o cardiaca en la madre o el bebé.

LA OPERACIÓN CESÁREA

Es una intervención quirúrgica por medio de la cual el bebé nace a través de una incisión en la pared abdominal de la madre. Es una cirugía mayor que requiere practicarse con anestesia.

La operación cesárea solo debe practicarse por causas de fuerza mayor que impidan el parto natural o por motivos de salud, ya sea del bebé o de la madre. No es conveniente realizarla por elección o capricho cuando realmente no es necesaria, ya que esto compromete la salud del bebé y de su madre.

La cesárea, nunca por rutina. Debe ser la última opción que se elija.

Indicaciones de cesárea

Desproporción céfalo-pélvica

Existe una relación entre la cabeza del bebé y la pelvis de la madre que puede ser desproporcionada e imposibilitar el parto natural debido a que la cabeza sea demasiado grande y no pueda atravesar la pelvis.

Esto se diagnostica durante el trabajo de parto, ya que tanto los diámetros pélvicos como la dimensión de la cabeza del bebé varían durante este proceso.

Sufrimiento fetal

Cuando el bebé no tolera adecuadamente el trabajo de parto o el ambiente intrauterino. Se diagnostica si se presenta meconio en el líquido amniótico y al monitorear la frecuencia cardiaca del bebé.

Presentaciones fetales que dificultan el parto

Algunos bebés no presentan en primera instancia la coronilla para nacer, que es la presentación más sencilla para el parto.

El bebé puede presentar la cara, los pies, las nalgas o estar en situación transversa y su nacimiento tendrá que resolverse por cesárea; el médico puede intentar acomodar al bebé antes, del inicio del trabajo de parto.

Placenta previa

Cuando la placenta se encuentra sobre el cuello del útero en lugar de estar enraizada en la parte superior, pueden presentarse sangrados sin dolor. El nacimiento debe resolverse por medio de una cesárea. Se diagnostica con ultrasonido.

Placenta abrupta o desprendimiento prematuro de placenta

Un golpe o una caída puede provocarla. La placenta se separa del fondo uterino antes de que el bebé nazca. La madre experimenta gran incomodidad, hemorragia, así como dolor intenso y continuo en el útero. Se resuelve con cesárea de emergencia.

Placenta envejecida

Después de las 42 semanas de gestación la capacidad de la placenta para nutrir y oxigenar al bebé puede disminuir, lo que puede provocar que el bebé deje de crecer. El médico discutirá contigo la posibilidad de inducir el parto. Esto se diagnostica por medio de ultrasonido y monitoreo fetal con una prueba sin estrés.

Prolapso de cordón

En raras ocasiones, el cordón sale del cuerpo de la madre antes de que nazca el bebé. Este es un problema serio que requiere resolverse por cesárea.

Prevención de la cesárea

El parto vaginal debe ser la primera posibilidad a considerar para el nacimiento de tu bebé porque promueve la salud, además de que la recuperación de la madre es más fácil y rápida. La cesárea, al ser una intervención quirúrgica, presenta los riesgos de aplicar anestesia y las posibles complicaciones de la herida, por lo que debe evitarse si no hay indicación médica importante para realizarla.

La cesárea programada por elección tiene el riesgo de sacar al bebé demasiado pronto, amenazando su salud, y que por falta de madurez, requiera incubadora o terapia intensiva. Esto a su vez es un factor que entorpece el apego del bebé con sus padres y la lactancia exitosa.

Para prevenir la cesárea recuerda:

La cesárea tiene indicaciones muy claras que el médico puede explicarte y en el caso de que la necesites, debes aceptarla.

Sin embargo, debes hacer todo lo posible para que tu bebé nazca naturalmente; recuerda que tu participación activa puede prevenirla. Los siguientes son consejos que te serán útiles:

1. Asiste a tu consulta prenatal mensualmente durante el embarazo para checar tu salud y la de tu bebé.

2. La nutrición adecuada es un factor muy importante para tu salud y el sano desarrollo de tu hijo.

3. Asiste a los cursos de educación perinatal para estar mejor informada y hacer un plan para el nacimiento de tu hijo desarrollando la confianza en tu habilidad natural de dar a luz.

4. Practica los ejercicios físicos y de relajación, ya que preparan tu cuerpo y facilitan el parto.

5. Espera pacientemente a que tu parto inicie espontáneamente y permanece en tu casa hasta que las contracciones duren 60 segundos, sean intensas y frecuentes antes de decidir ingresar al hospital. Si lo deseas, puedes pedir al médico que te revise en su consultorio y acude al hospital cuando te lo indique. Si vas anticipadamente al hospital, el trabajo de parto te parecerá demasiado largo y podrías provocar intervenciones innecesarias como la aplicación de suero, inducción o conducción de parto, limitación de postura, separación de tu marido, incomodidad y ansiedad, factores que a veces pueden llevar a la cesárea.

6. Durante tu trabajo de parto, mantén posición vertical, sentada o de pie; si prefieres estar acostada, que sea del lado izquierdo. Evita acostarte bocarriba y cambia de posición frecuentemente.

7. Durante el periodo de expulsión, debes tener libertad de movimiento y pujar en la posición que te resulte más cómoda, aprovechando la fuerza de gravedad.

8. Las cuclillas y el balanceo de pelvis favorecen el descenso y la rotación de tu bebé por la pelvis.

9. Confía en la habilidad de tu cuerpo para parir.

10. Relájate, concéntrate y ayuda a tu hijo a nacer.

11. Procura evitar bloqueos y el uso de fármacos, porque sus efectos relajantes contribuyen a que se necesiten maniobras médicas.

12. Debes saber en qué consiste el sufrimiento fetal y qué medidas pueden tomarse para prevenirlo; el indicador es la frecuencia cardiaca del bebé.

13. Conoce las indicaciones absolutas y relativas para la práctica de la cesárea para que puedas participar en la decisión con verdadero conocimiento informado.

> La cesárea requiere consentimiento informado.

Si por alguna causa justificada requieres una cesárea, coopera y recuerda que tu actitud positiva ayudará mucho al bebé. Participa activamente en las decisiones sobre tu cuidado.

Parto vaginal después de cesárea (VBAC)

Una mujer con cesárea previa, puede tener un parto natural exitoso y saludable en su siguiente embarazo. Es una opción saludable que se debe favorecer, coméntalo con tu médico. Si tus embarazos están suficientemente espaciados (dos años) y la incisión de la cesárea anterior fue transversa y baja en el útero puedes tener un parto vaginal seguro.

Posparto

Una etapa de adaptación,
de crecimiento y de
conocimiento entre la madre,
el recién nacido y el padre

Las primeras semanas después del nacimiento son fundamentales para tu recuperación. Tu cuerpo espontáneamente va regresando a la normalidad al mismo tiempo que acoges y das la bienvenida a tu hijo. Cuidar los aspectos físicos, emocionales, sociales y espirituales de tu salud será de gran beneficio en este momento tan especial de tu vida.

El posparto es una etapa que dura 40 días, en los que se lleva a cabo tu recuperación, el inicio de la lactancia y la nueva vida con el bebé en casa. Por tanto, es un gran reto para ti y al mismo tiempo es una etapa maravillosa: te estás estrenando como mamá, Dios te ha dado un hijo; cada mañana de tu vida, al abrir los ojos, da gracias por este motivo de alegría.

Ser mamá y papá requiere de mucha generosidad; hay que aprender sobre la marcha, esforzarse cada día, permitiendo que brote de cada uno lo mejor de sí mismo y demostrándole al bebé cuánto lo quieren y lo contentos que están por su llegada. Se requiere paciencia para conocerse día a día y para satisfacer sus necesidades con mucho amor.

Los primeros 40 días el bebé te necesita mucho, tu vida habrá cambiado y poco a poco irán adaptándose juntos.

En estos días requieres un sistema de apoyo para que el manejo de la casa, la limpieza, la comida, las compras y todo lo necesario se lleve a cabo adecuadamente. Lo más importante es que tú te hagas cargo de tu bebé, lo alimentes, lo bañes y lo cuides. Todo lo demás, cualquier otra persona puede hacerlo, si lo organizas desde el embarazo te vas a sentir muy tranquila. Acepta la ayuda de tus familiares y amigos, y planea quién se va a encargar de cada cosa.

Ayuda mucho cocinar y tener congeladas varias comidas para solo calentar en estos días que son intensos, después del embarazo requieres descanso, física y emocionalmente, acabas de vivir el momento más importante de tu vida y necesitas disfrutar a tu bebé, atenderlo y dormir cuando él duerma, de día y de noche, para ir recuperándote.

Tus prioridades se reacomodan con la llegada a casa del recién nacido y al asumir con alegría tu maternidad. El papá feliz y orgulloso puede ayudar mucho a atender a familiares y amigos, a bañar al bebé, a comprar la comida y lo que se necesite en casa y a que estés lo más tranquila posible y puedas dedicarte de lleno a amamantar y a cuidar al bebé.

Si la gestación significó nueve meses de crecimiento, necesitarás nueve meses para recuperarte por completo, sin embargo, a las seis semanas después del parto ya podrás reanudar tu ejercicio físico paulatinamente. Al principio, habrá que concentrarse más en la buena postura, en contraer los músculos abdominales y el periné (piso pélvico). Cargar al bebé y atenderlo implica reanudar la actividad física.

Después del parto, los músculos abdominales necesitan atención para restaurarlos, acortarlos y darles tono. El propósito de los ejercicios del periné es acondicionar los músculos para que reasuman sus funciones al ser un buen sostén para los órganos que están dentro de la pelvis y para restablecer el control de esfínteres.

Acostarse bocabajo con una almohada debajo de la cadera te ayudará a que los órganos de la pelvis vuelvan a su lugar. Tu cuerpo se encargará de que el útero involucione. Es importante que no hagas ejercicios abdominales demasiado pronto como levantar las dos piernas estando acostada, pues tus abdominales no podrán responder hasta que recobren poco a poco su tono y firmeza.

Los ejercicios posparto deben empezarse tan pronto como te sea posible. Si das a luz en un hospital, puedes empezar tus ejercicios ahí mismo: círculos con los pies, pedaleo, contraer abdominales y periné, el puente, borrar el huequito de la cintura, estiramiento y pectorales. De esta manera, al llegar a casa no se te hará pesada la pequeña rutina de ejercicios y tu cuerpo habrá ganado ventaja.

En las primeras seis semanas los cambios en tu cuerpo son graduales y constantes, te encuentras en una etapa llamada puerperio. Si tuviste parto natural, la recuperación es más fácil y más rápida. Si fuiste operada, necesitas un poco más de tiempo para recuperarte.

El útero

Los cambios normales que tuvo el útero durante el embarazo, para albergar al bebé en constante crecimiento y desarrollo, requieren de al menos seis semanas para involucionar y regresar a estar como antes.

Durante el embarazo, el útero aumentó 11 veces su peso. Inmediatamente después del parto, el útero pesa aproximadamente un kilo. Tú puedes sentirlo si lo palpas con tu mano. Es importante, para que tu sangrado posparto sea normal, que el útero esté firmemente contraído por lo que se siente duro y del tamaño de una naranja, justo debajo de tu ombligo.

Recuerda la importancia de poner a tu bebé al pecho: cada vez que tu bebé succione, sentirás cómo se contrae tu útero. El útero involuciona contrayendo sus fibras musculares lo que puede provocar un poco de molestia (entuertos) los primeros 3 o 4 días, especialmente a partir del segundo parto. Amamantar a tu bebé te ayuda a recuperarte, por lo que cuando el bebé succiona vas a notar actividad en el útero porque aumenta la hormona oxitocina que provoca que este se contraiga y hace que la leche fluya.

Canal del parto

La vagina, que se distendió de manera importante en el parto, ya estará recuperada al final de la tercera semana.

> En esta etapa procura descansar y recuperarte.

Episiotomía

Si hubo episiotomía, se requieren al menos cuatro semanas para que la herida suturada sane. Las estructuras de sostén y los músculos del piso pélvico requieren de seis a siete semanas para recuperarse. Es importante iniciar con ejercicios de Kegel a partir del primer día del posparto para favorecer tu pronta recuperación.

Si tuviste esta incisión —que se hace en el periné cuando el bebé está a punto de nacer y al final el médico sutura—, te va a molestar unos días. Es muy importante la higiene en esta zona.

El periné debe lavarse y enjuagarse con agua tibia y jabón de 2 a 3 veces al día y después de ir al baño durante la estancia hospitalaria y luego en tu casa. Puedes usar alguna pomada que el médico te recomiende para disminuir el dolor y ponerte compresas frías. Procura cambiar tu toalla sanitaria con frecuencia.

Vejiga

Es importante orinar cada 3 o 4 horas mientras estás hospitalizada, ya que tu cuerpo está eliminando grandes cantidades de líquido que se acumuló al final del embarazo, tanto en tus piernas como en tus brazos.

Músculos y articulaciones

Los dos primeros días posteriores al parto puedes tener molestias musculares y fatiga. La pared abdominal estará flácida y la piel muy floja, y poco a poco recobrará su tono normal. Atender al bebé de día y de noche es un excelente ejercicio que ayudará también a recuperar tu pared abdominal.

Cambios en la piel

Las hormonas en el embarazo causan muchos cambios en la piel. El paño en la cara y la línea morena del embarazo en el vientre van a desaparecer gradualmente. Si tienes estrías en el vientre o el pecho se desvanecen mucho, tornándose de rojas muy marcadas a líneas blancas.

Várices

Si tienes venas varicosas es necesario elevar las piernas y usar medias elásticas para caminar durante las primeras seis semanas después del parto para recuperarte bien.

Pérdida de pelo

Es frecuente que pierdas algo de pelo. No te preocupes, en poco tiempo se va reponiendo.

> Poco a poco, el cuerpo vuelve a la normalidad.

Loquios

A partir de la expulsión de la placenta, y durante varias semanas después del parto (de 4 a 6) tendrás loquios, que es un sangrado acompañado de restos de tejido placentario. Los loquios cambian gradualmente de rojo oscuro a más claro y son menos abundantes cada día hasta desaparecer por completo conforme el útero se va recuperando.

Es importante notificar al médico si tu sangrado es profuso (como cuando te sale sangre de la nariz) y persistente, con sangre muy roja y muy líquida que empapa la cama, ya que esto no es normal y requiere atención médica inmediata.

La higiene es muy importante para evitar una infección en el útero: usa agua y jabón diariamente, descansa, ponte compresas frías y limpias, evita duchas y tampones vaginales. Si después de seis semanas el sangrado aumentara en lugar de disminuir, debes consultar a tu médico.

Los loquios tienen un olor peculiar, pero no debe ser fétido, no es normal que tengan mal olor. En este caso, también consulta al médico.

Plétora
(congestionamiento de los pechos)

Después del segundo día de haber dado a luz, o en los días subsiguientes, los pechos pueden llenarse debido a la bajada de la leche; esto, posiblemente, se acompañe de fiebre. ¿Qué puedes hacer? Ponte un poco de hielo envuelto en un paño para desinflamar los pechos y luego compresas calientes. Además, extrae un poco de leche después de haber dado un masaje para aflojar los pechos. Puedes usar una bomba manual o eléctrica y luego amamanta a tu hijo, ya que es él quien mejora la plétora al succionar. Recuerda que debes amamantar al bebé a libre demanda. Puedes pedir un analgésico a tu médico para evitar la molestia de la fiebre: en un par de días este problema habrá desaparecido.

Estreñimiento

Debido a la falta de actividad física y a tus débiles paredes abdominales, la actividad del intestino será más lenta; puedes tomar mucha agua, jugos de frutas (naranja, papaya, ciruela pasa o té caliente entre las comidas; fibras, frutas, verduras, cereales, granos, etc.). Trata de ir al baño a la hora que acostumbras; procura hacerle caso al primer aviso de tu intestino: recuerda que en cuanto puedas defecar con mayor prontitud, más fácil será para ti. Debido al estiramiento del periné durante el parto, al orinar y defecar, quizá sientas una sensación diferente; si después de dos días no has podido evacuar el intestino, no esperes más y pide un laxante.

Hemorroides

Estas venas varicosas en el recto, muchas veces empiezan a incomodar desde el embarazo y continuarán molestando durante el posparto; pueden dar comezón y causar dolor porque están inflamadas. Evita el estreñimiento evacuando diariamente, recuéstate, haz ejercicios de periné para

> La mayoría de las molestias se quitan con descanso y una buena dieta.

aumentar la circulación de la zona, sube las piernas si estás sentada. Recuerda que el hielo, las compresas frías y el agua caliente desinflaman. Pregunta a tu médico qué pomada, gotas o supositorios te recomienda si las molestias persisten.

Vejiga

Después del parto, a causa de la gran presión y distensión que toda esta zona ha sufrido, a veces cuesta un poco orinar. Esfuérzate por hacerlo cuanto antes, en la posición normal, bebiendo más agua. Relaja el periné. Si después de 8 a 12 horas posteriores al parto no has orinado, tendrán que colocarte, probablemente, una sonda vesical.

El peso

Las mujeres sentimos hambre, especialmente si estamos amamantando y deseamos adelgazar cuanto antes. Debes alimentarte bien: come abundantes frutas y verduras, leche, huevos, queso, pescado y carne sin grasas; no es el momento de someterte a una dieta de hambre o tratar de adelgazar. El amamantar te ayudará a eliminar esa grasita de más que se acumuló durante el embarazo; incluso, debes ingerir 500 calorías más de lo normal. En lo posible, evita las grasas, harinas, sal y azúcar refinada. Bebe mucha agua entre las comidas y no olvides incluir toda la fibra posible en tus menús, como granos, salvado, harina y arroz integral, germinados y proteínas vegetales (nueces, pasas, lentejas, frijol, garbanzos, etc.). Los ejercicios de posparto también ayudarán a reducir medidas, pero principalmente, a sentirte mejor cada día.

Fatiga

Puede convertirse en un problema que te afecte física y emocionalmente. Debes descansar, aunque parezca imposible: las pequeñas siestas con tu bebé durante el día ayudarán a que te recuperes de las desveladas. Te recomendamos que desde el embarazo planees tener comida preparada y congelada, galletas, alimentos enlatados y una provisión de todo lo que pudieras necesitar; sobre todo, el primer mes. Acepta la ayuda que te ofrezcan para que la casa pueda funcionar con eficiencia. La participación del papá es importante para que conviva con su bebé y al mismo tiempo tú puedas tener un rato para ti. Limita subir y bajar escaleras o cargar cosas pesadas. Ahorra energía. Los familiares y amigos pueden ayudar siempre que permitan que ustedes conserven su privacidad. En esta etapa, la nueva familia establece sus reglas y los abuelos, tíos, hermanos, etc., deben mantenerse aparte, siendo prudentes, animándolos y respetándolos.

> En el posparto la madre requiere un sistema de apoyo y contención.

La ayuda de la familia en nuestro país es maravillosa, pero demasiada cercanía e intervención pueden ocasionar conflictos en la pareja. La limpieza escrupulosa de la casa, la comida complicada y la perfección están fuera de alcance; poco a poco irás conociendo a tu bebé y sabrás que dispones de ciertas horas, cuando él duerme, para pequeñas salidas o para descansar. Procura dedicarle los primeros meses al bebé con mucha calma y disfrutándolo, evita saturar tu agenda con actividades fuera de casa.

CAMBIOS EMOCIONALES

Acoger al nuevo bebé y asumir la maternidad y la paternidad es un gran reto para los padres. Para hacerlo se requiere gran energía emocional y mucho amor, recuerda que cada hijo es un proyecto en sí mismo y que los padres estamos llamados a participar en él desde el principio de su existencia. Desde que nace el bebé, tu vida cambia para siempre y se enriquece de manera insospechada. Las prioridades de ambos padres se reacomodan para dedicarle al bebé el tiempo que necesita.

Es muy útil hacer un plan en el que aceptes ayuda de tus familiares y amigos cercanos para las labores de la casa, el lavado de ropa, las compras y la preparación de la comida. Toma en cuenta que durante el primer mes de vida, el bebé requiere prácticamente de todo tu tiempo para tener sus necesidades resueltas y que poco a poco, alrededor de los tres meses, podrás organizar mejor tus horarios y rutinas.

Disfruta estas primeras semanas, que el cansancio no te impida experimentar el gozo de entregarte totalmente a tu hijo, el tiempo vuela y si te dedicas sin distracciones puedes gozar mucho a tu bebé en esta etapa de su vida.

Tristeza posparto (*baby blues*)

No hay experiencia en la vida que se compare con la llegada de un bebé. Como mujer te estrenas en la misión de ser madre y vas a experimentar por primera vez una nueva y extensa gama de emociones y sentimientos muy intensos. Sentirás alegría y un gozo indescriptible al mismo tiempo que confusión, miedo y cansancio extremo. Vivirás el amor de verdad, que es incondicional e implica entregarte de forma libre y total a tu hijo.

Los primeros días puede ser que tengas sentimientos encontrados a veces de impaciencia, frustración, irritabilidad o inexplicable tristeza debido al intenso trabajo que estás realizando, amamantar al bebé te ayudará a sentirte más serena y confiada y a superar estas dificultades emocionales que son pasajeras.

Después de los primeros días del posparto puedes sentirte un poco triste o abatida. Esto es completamente normal; es como si hubieras perdido algo y sientes el peso de la responsabilidad de cuidar a tu bebé. No estás sola, tienes a tu marido, a tu familia y, sin duda, vas a hacerlo muy bien. Los cambios hormonales y el cansancio te afectan, sin embargo, puedes decidir ser una mamá feliz, positiva y cariñosa.

Al recibir a tu bebé en casa necesitas tiempo, paciencia, comprensión y mucho amor para acogerlo como miembro de tu familia. Y es que habrá un periodo de conocimiento y adaptación en el que el bebé requiere de tu atención de tiempo completo.

Cuesta trabajo, generosidad, determinación y mucho amor enfrentar la ansiedad, el cansancio, las visitas y el llanto del niño y es que a veces parece que te sobrepasa el peso de la responsabilidad y la demanda de las labores hogareñas. Con sentido del humor y paciencia, los dos se van a ir sintiendo más seguros y aprenderán a compartir la vida con su hijo. Limita las visitas durante la primera semana, mientras te organizas con la lactancia y pide ayuda a tu familia o amigos cuando lo necesites. La tristeza posparto es pasajera, dura unos cuantos días y desaparece. Si no fuera así, consulta a tu ginecólogo, puedes tener algún desequilibrio hormonal que valdría la pena checar. El amor por tu hijo es mucho más grande que las dificultades por superar. Te has convertido en madre con el enorme gozo y enriquecimiento personal que implica.

Depresión posparto

Si después de dos semanas continúas teniendo sentimientos de tristeza, ansiedad y se agudizan es muy importante que pidas ayuda profesional, puedes tener una depresión. Se trata de un trastorno emocional severo que requiere tratamiento médico psiquiátrico, a veces se presenta meses después del parto. Los sentimientos de frustración y tristeza son intensos y puede haber otros síntomas como pérdida de apetito, desinterés en cuidar al bebé, dificultad para dormir, ansiedad, desorientación, deseos de hacerte daño, entre otros.

No obstante que tu bebé está sano y tienes todo para sentirte feliz, te sientes abrumada y con ganas de llorar, esto a su vez te genera mucha culpa y te sientes muy mal contigo misma, es importante que te atiendas adecuadamente, contacta a tu médico y pide ayuda profesional para que te recuperes totalmente. No lo dejes pasar sin atenderte, pues la depresión puede curarse y superarse totalmente, evitando que se agrave o se vuelva crónica.

EL NUEVO PAPÁ

Asumir la paternidad es un gran reto también para el nuevo papá por lo que es muy positivo que se involucre en el proceso del embarazo.

Asistir a cursos de educación perinatal en pareja es una gran herramienta para estar cerca ya que juntos podrán elaborar planes para el parto y el posparto.

Después del parto es necesario evitar el contacto genital de 4 a 6 semanas, especialmente si hubo episiotomía o cesárea para que ella se recupere, sin embargo, es necesaria la cercanía, el amor, la comunicación y la ternura entre los dos.

La función del padre es muy importante; su apoyo, contacto y cercanía buscando que no le falte nada a su esposa y a su hijo. Puede bañar al bebé, cambiarle el pañal, cárgalo en contacto piel a piel para consolarlo, hablarle, cantarle y jugar con él.

Ayudar en casa y estar disponible será la fórmula perfecta para que todo funcione mejor demostrando el apoyo y el amor que su familia necesita.

ALOJAMIENTO CONJUNTO, TESTIMONIO

El alojamiento conjunto, una experiencia que valió la pena vivir.

Testimonio de Gaby

Al estar preparándome para el nacimiento de mi sexto hijo, tenía muy definido el tipo de atención que deseaba para mi parto y para mi bebé, puesto que ya había experimentado la felicidad de dar a luz con partos psicoprofilácticos, todos ellos excelentes y gozando del don maravilloso de la salud. Sin embargo, en esta ocasión las circunstancias fueron distintas; mi embarazo presentó una dificultad: tenía placenta previa cubriendo el cuello del útero. Por medio de un estudio de ultrasonido detectamos el problema y mi médico me advirtió las probabilidades de sufrir algún contratiempo, como un sangrado considerable, necesidad de guardar cama durante varios meses, quizá un parto prematuro... De todo esto, lo que más me afligía era pensar en un bebé prematuro y los problemas que él, quizá, tendría que enfrentar. Fue excelente saber desde el primer trimestre que la placenta podría traer dificultades, porque así hice todo lo que estuvo a mi alcance para cuidarme muchísimo, evitando la actividad excesiva, las caminatas, los ejercicios físicos y conducir el coche. Presté especial atención a mi dieta, tomé suplementos de vitaminas con hierro y vitamina C, y nadé durante media hora diaria, ya que era el único ejercicio que se me permitía hacer.

La alegría del embarazo hizo que todo esto no me pesara; por el contrario, tuve mucho tiempo para meditar, leer y esperar confiando en Dios, que da la vida, y le pedí con toda el alma la vida y la salud para mi bebé. Mi embarazo progresó maravillosamente. En ningún momento tuve sangrado y a los ocho meses el médico llegó a pensar en la posibilidad de que el bebé se acomodara de cabeza y desplazara la placenta, haciendo posible un parto vaginal normal.

Faltaban dos días para la fecha probable de parto y estaba intranquila porque no había sentido una sola contracción. Pensaba que tal vez mi mente estaría inhibiéndolas por el temor de tener un sangrado anormal. Entonces decidí someterme a una prueba de ultrasonido para asegurarme de que todo estaba bien y así relajarme profundamente e iniciar mi trabajo de parto. En el consultorio de ultrasonido fue una sorpresa descubrir que el bebé se encontraba sentado y que la placenta estaba totalmente previa, central, cubriendo la salida. En ese momento se confirmó que mi hijo nacería por cesárea y que había sido una bendición que el embarazo llegara a término. El bebé estaba muy bien, de excelente tamaño y de muy buen peso.

Me relajé y me dispuse a recibir a mi hijo lo mejor que pudiera. Me ayudó muchísimo contar con el apoyo y la presencia de mi marido, incluso durante la operación; también contribuyeron a mi bienestar la calidez y confianza que me brindó el equipo médico que me estaba atendiendo. A todos ellos les estoy muy agradecida. La cirugía presentó algunas dificultades y fue necesaria una transfusión, pero todo se pudo resolver de manera favorable.

Mi hijo reaccionó muy bien y empecé a recuperarme. Me operaron a la 1:00 p.m. y el bebé permaneció en la cuna durante cinco horas. A las 6:00 p.m. llegó a mi habitación en una cunita, para quedarse conmigo, de día y de noche durante mi estancia en el hospital.

Tener al niño conmigo en alojamiento conjunto valió la pena por muchas razones, a pesar de estar recién operada y tener el cansancio y las molestias que una cesárea implica.

Pude conocer, gozar y contemplar a mi hijo muy de cerca, lo que me proporcionó una alegría que difícilmente se puede describir. El vivir esta experiencia contribuyó, en gran medida, a mi recuperación física y emocional, pues yo no estaba pensando en el dolor que sentía en la herida ni en el sinsabor de haber requerido una cesárea. Todo mi ser estaba volcado en ese pequeñito que tenía en los brazos y que estaba recibiendo como un regalo preciosísimo que Dios me hacía. Por él tenía muchas ganas de recuperarme, de sentirme bien, para cuidarlo y amamantarlo. Mi mejor medicina era sentir cómo me apretaba los pulgares con sus minúsculas manitas, acariciar sus piecitos, su espalda, su cabecita y mirarnos a los ojos, conociéndonos.

El alojamiento conjunto me permitió establecer muy adecuadamente la lactancia, a pesar de que no fue fácil, porque al bebé le costó trabajo aprender a succionar. Cada vez que estaba despierto, le ofrecía el pecho y él recibía algunas gotas de calostro, ya que solo chupaba en forma incoordinada. Sin embargo, después de trabajar durante toda la noche esforzándonos con paciencia, él y yo lo logramos, y alrededor de las 7 de la mañana, Patricio aprendió a succionar con fuerza y coordinación para procurarse alimento.

Ese día durmió toda la mañana y quiso comer a las 2 de la tarde. Succionó muy poco, y lo mismo sucedió durante las horas de la tarde y de la noche; el bebé succionaba bien, pero no mostraba tener hambre.

Mi pediatra, muy atinadamente, no parecía preocupado y me dijo que el bebé comería cuando sintiera hambre. Solamente por precaución ordenó un análisis de sangre para verificar el azúcar. El examen resultó normal, así que con toda calma esperé a que aumentara su demanda de alimento y dispusimos de muchas horas para descansar y reponernos.

Mis demás hijos tuvieron la alegría de conocer y convivir con su hermanito durante estos primeros días, atendiéndolo y dándole la bienvenida a nuestra familia. Al día siguiente el bebé quiso mamar muy frecuentemente, de día y de noche. Esa fue mi tercera y última noche en el hospital; mi hija Fernanda me ayudó con mucha dedicación y amor, acomodándome al bebé y cambiando sus pañales cuando era necesario. Estoy muy agradecida con ella porque la desperté varias veces en la noche. Llegamos a casa contentísimos con nuestro nuevo hijo. Aún me sentía bastante adolorida debido a la intervención quirúrgica, pero mi lactancia estaba ya establecida. Nunca tuve los senos congestionados ni los pezones lastimados. No sufrí ninguna de las molestias que muchas veces se presentan en estos primeros días. Amamantar a libre demanda fue el secreto y, más aún, contar con el apoyo de mis familiares y amigos que se alegraron por este bebé. Estuve acompañada; recibí muchas visitas, en mi casa, que llena de flores daba la bienvenida a Patricio. Pude dedicarme exclusivamente a cuidarlo, a amamantarlo y a gozarlo junto con mi esposo y mis hijos.

EJERCICIOS POSPARTO

Si te sientes bien, puedes empezar al día siguiente del parto, repite dos veces cada ejercicio y aumenta poco a poco el número de movimientos hasta completar 10 de cada uno. No te esfuerces demasiado, relájate y utiliza la respiración profunda entre cada ejercicio.

Levántate al baño a orinar, ya que es muy importante que recuperes todas tus funciones. Recuerda que caminar favorece la circulación.

Contrae músculos abdominales

Al inhalar, contrae los músculos abdominales y el periné; al exhalar, relájalos. Aumenta los segundos gradualmente.

Ejercicios con los pies

Flexiona y extiende los tobillos y haz círculos muy amplios con los pies, hacia uno y otro lado.

Borrar "el huequito"

Al inhalar estira tu cuerpo presionando o borrando todos los huequitos de los pies contra la cama hacia ti, para estirar los tobillos.

Balanceo de pelvis

Con las piernas flexionadas y los pies apoyados en el piso, inhala manteniendo la lordosis lumbar lo menos pronunciada posible, exhala y vuelve a la posición original.

Abdominales

Inhala profundamente y al exhalar contrae vigorosamente las abdominales. Al cabo de una semana puedes continuar con los ejercicios que siguen, realizando dos de cada uno e ir aumentando hasta hacer 10.

El puente

Al inhalar, eleva la cadera con los glúteos contraídos, sin arquear la espalda, y al exhalar baja lentamente, acomodando la columna vertebral, poco a poco, sobre el piso.

Abdominal en diagonal

Al inhalar pega la barbilla al pecho, incorporándote diagonalmente, tocando la rodilla izquierda con la mano derecha, y viceversa. Al exhalar, vuelve a la posición original.

Abdominal hacia el frente

Al inhalar pega la barbilla al pecho, levanta la cabeza y al exhalar regresa a la posición original. Cuando domines este movimiento eleva también el tronco quedando semisentada con los brazos entre las piernas. Al exhalar, descansa.

Pectorales

Presiona una mano contra la otra, arriba, en medio y abajo. Diez veces en cada posición.

...a los 40 días

Si has sido constante, a los 40 días tu cuerpo estará preparado para iniciar una rutina más intensa de ejercicios que te ayudarán a recuperar la figura. Continúa practicando tus ejercicios de periné (Kegel).

No olvides practicar diariamente tu relajación y la rutina de ejercicios pectorales y de estiramiento que llevaste a lo largo del embarazo, así como la caminata. Hazlo diariamente.

EJERCICIOS PARA DESPUÉS DE LA CESÁREA

Si el nacimiento de tu bebé fue por cesárea, haz los ejercicios que se especifican para después de la cesárea, explicados a continuación.

Puedes empezar tan pronto como te recuperes de la anestesia. Repite dos veces cada ejercicio, para comenzar, y aumenta poco a poco cada ejercicio según como te sientas; no te esfuerces más de lo que puedas. Relájate y respira profundamente entre cada ejercicio.

Inmediatamente, ejercicios respiratorios

Es muy importante prestar atención a los pulmones, sobre todo después de una intervención quirúrgica y de una anestesia general. Todas las áreas del pulmón deben ventilarse bien. Puedes hacerlos acostada en tu cama, bocarriba y con las piernas flexionadas, posteriormente podrás practicar otras posturas.

Abdominales

- Con las manos sobre los abdominales abajo de las costillas, inhala profundamente por la nariz, expandiendo la pared abdominal y exhala por la boca lentamente, contrayéndola, hasta que sientas que todo el aire ha salido.
- Con las manos sobre las costillas, repite la misma operación tratando de que las costillas desciendan al soltar el aire.

No repitas muchas veces seguidas este ejercicio, porque podrías sentirte mareada. Es mejor hacerlo varias veces a lo largo del día.

Soplar o bufar

Ayuda a remover secreciones en los pulmones. Inhala y exhala, infla las mejillas y suelta el aire, haciendo que el diafragma suelte el aire como si al hacerlo dijeras ¡ah!

Ejercicios con los pies

Dobla y estira los tobillos y haz círculos muy amplios hacia uno y otro lado.

Cruza las piernas tensándolas y relajándolas

Recuéstate sobre dos o tres almohadas, cruzando una pierna sobre la otra y apriétalas durante unos segundos.

Camina tan pronto como puedas

Si la herida de la cesárea te molesta, pon tus manos como deteniendo esa parte del cuerpo y da unos pasos. Esto permitirá que te recuperes más rápido.

Empieza a hacer ejercicios de periné

Recuerda que el embarazo distendió tus músculos y es necesario fortalecerlos. No olvides seguir practicando tu relajación.

Dobla y estira las rodillas

Recostada en las almohadas, inhalando y exhalando. Alterna.

Balanceo de pelvis

Mantén la lordosis lumbar lo menos pronunciada posible inhalando y exhalando.

Siempre que te levantes, flexiona las piernas, vuélvete de un costado y con las piernas impúlsate hacia la orilla y siéntate. Si quieres volverte de lado solamente, flexiona la rodilla del lado en que te encuentras y llévala por encima de la pierna contraria, al mismo tiempo que haces girar la parte superior del cuerpo, haz lo mismo con los brazos. Recuerda que el cambio de postura ayuda a expulsar la acumulación de gases.

Pectorales

Haz círculos con los brazos, alternando.

LA SEXUALIDAD POSPARTO

¿Cuándo reanudar el contacto sexual?

Puede reanudarse de 4 a 6 semanas después del parto o hasta que la mujer se sienta bien. Las responsabilidades y la atención que brindan al bebé serán más llevaderas y agradables mientras más unidos estén los dos. Eviten el contacto genital si ella aún está sangrando, pero manténganse cercanos y en comunicación en esta nueva etapa de su vida. El contacto sexual será de gran consuelo e íntima unión por lo que habrán de encontrar el momento oportuno, que sea especial para ustedes. La comprensión y delicadeza son imperativas, pues la episiotomía le puede molestar; los pechos en la mujer que está amamantando pueden incomodarla también, sin embargo, el deseo de estar unidos y el amor que se tienen es aún más grande y podrán encontrar la manera de demostrar su amor con ternura y respeto. Las relaciones sexuales implican producción de hormonas (oxitocina y endorfinas) que producen un gran bienestar físico que fortalece aún más la unión entre los dos.

La posibilidad de embarazarse nuevamente la deben considerar y comentar para que juntos puedan planear su familia con responsabilidad y generosidad; es un tema que les compete a los dos. Hoy sabemos que si estás amamantando al bebé de forma exclusiva los primeros 56 días después del parto serán ciento por ciento infértiles y que después de estas primeras ocho semanas, la ovulación puede retornar en cualquier momento y con ello la posibilidad de embarazarse, a pesar de que estés amamantando. La lactancia materna exclusiva, inhibirá espontáneamente la ovulación y se tendrá un espaciamiento natural de los embarazos, pero el tiempo del retorno de la ovulación es muy variable. Puede determinarse con certeza el retorno de la ovulación monitoreando su fertilidad, observando los biomarcadores de la mujer y graficando diariamente con Creighton Model System.

El momento ideal para reanudar las relaciones sexuales será cuando ella esté lista, ambos lo deseen y sea de común acuerdo. Es recomendable hacer los ejercicios del periné (Kegel) desde los primeros días posteriores al parto, para ayudar a la cicatrización, la circulación y a mejorar el tono de los músculos del piso pélvico.

Es muy importante que ambos valoren haber recibido un hijo y que se demuestren cuánto se aman y se necesitan. La recuperación de la mujer requiere tiempo (seis semanas) y poco a poco irá regresando a su peso ideal, por lo que el papá debe ayudarla a que tenga una imagen positiva de sí misma.

La presencia del bebé no debe ser un obstáculo para las manifestaciones de amor y ternura entre los dos, pues es recomendable que el pequeño duerma en la misma habitación de los padres, esto facilita la lactancia y el apego, además de permitir cuidarlo y estar alerta de sus necesidades. Es importante mejorar los canales de comunicación y hablar acerca de los sentimientos de ambos. Los abrazos, las demostraciones de cariño y los detalles amorosos de cada día contribuyen a una mejor compenetración. Con paciencia y sentido del humor, paulatinamente se irán adaptando a su nueva vida de familia.

En caso necesario, abstenerse temporalmente de relaciones sexuales representa la más tierna y completa expresión de amor marital, pues el hombre busca el bien de su esposa dominando el egoísmo ya que contenerse requiere autocontrol y dominio de sí mismo.

Esto no daña al amor conyugal, sino que al comprenderse mutuamente y al buscar siempre el bien del otro, el amor se enriquece con nuevos valores humanos que contribuyen a que sea más profundo y maduro. Promueve la comunicación profunda en la que los esposos no solo hablan de los problemas cotidianos y económicos de su hogar, sino también sobre sus emociones, sus ilusiones y su propia relación de pareja.

Vivir en armonía con su naturaleza y conocer su fertilidad les permite valorarse mutuamente y sentirse profundamente agradecidos por haber recibido a un hijo así como por todo lo que ambos se han amado gozando de su relación marital.

El bebé

La llegada de un hijo
te cambiará para siempre.
Un hijo es un regalo de Dios.

LA LACTANCIA

Dr. Horacio Reyes Vázquez
Médico pediatra, presidente de la Asociación Pro Lactancia Materna, APROLAM
Miembro de la Academia Mexicana de Pediatría

En México solamente 14% de las madres amamantan a sus hijos a pesar de que sabemos que la lactancia materna es la mejor estrategia para cuidar la salud, ya que previene el número de muertes en menores de cinco años en el mundo en 13%.

Existen otras estrategias también importantes para prevenir la mortalidad infantil: evitar materiales con insecticidas la reduce 7%, una adecuada alimentación complementaria 6%, parto limpio 4%, la vacuna contra influenza 4%.

El impacto en la salud de la lactancia materna cobra especial importancia en la reducción de enfermedades agudas, como la gastroenteritis infecciosa que se disminuye en 64%, las infecciones respiratorias superiores disminuyen en 63%, si el bebé es amamantado por seis meses y las infecciones respiratorias bajas muestran una disminución de 72% con un periodo de lactancia mayor a los cuatro meses. Asimismo, su impacto es muy relevante a largo plazo, pues reduce enfermedades como la obesidad en 24%, la enterocolitis necrosante en 77% y la muerte súbita del lactante o muerte de cuna en 36%.

Las ventajas de la lactancia en la salud también involucran a la mamá con una reducción del cáncer de mama de 28% y del cáncer de ovario de 21% con lactancia materna acumulada por un año.

Al contar con evidencia científica sobre el impacto positivo que tiene la práctica de la lactancia materna en la salud, tanto de los recién nacidos como de sus madres, la Organización Mundial de la Salud (OMS), la UNICEF y los gobiernos de todos los países, incluyendo México, recomiendan la alimentación con leche materna durante los dos primeros años de vida; en forma exclusiva, los primeros seis meses y a partir de esta edad introducir alimentación complementaria con frutas, verduras, carnes y cereales.

Es motivo de análisis y gran preocupación que a pesar de las bondades que muestra la lactancia materna, demostradas científicamente, menos de 35% de los niños menores de seis meses son alimentados en forma exclusiva con leche materna debido a diversos factores que influyen en que las madres no logren este objetivo.

El listado de factores es largo, pero destacan:

- La falta de educación y de información adecuadas sobre la lactancia materna, tanto del personal de salud como de las madres.
- La falta de apoyo a las madres durante el embarazo y al momento del nacimiento del bebé.
- La atención maternoinfantil que no contempla que inmediatamente después del parto o la cesárea se coloque al bebé en contacto piel a piel, favoreciendo el fortalecimiento del vínculo de apego así como el inicio espontáneo y armonioso de la lactancia. Esta práctica de atención favorece también la expulsión de la placenta y la prevención de hemorragia.
- La deficiente o nula asesoría y motivación para las madres sobre cómo colocar al bebé al pecho en la primera hora de vida.
- Utilizar el cunero fisiológico para la atención de los bebés sanos en los hospitales, que separa al recién nacido de su madre durante la estancia hospitalaria, perdiéndose la oportunidad de poder evaluar el desempeño de la madre y el bebé durante el inicio de la lactancia, así como de instruirla sobre cómo se coloca el bebé al pecho adecuadamente, cómo saber si el bebé está bien alimentado y cómo realizar la extracción de leche, en caso de que sea necesario.
- La falta de apoyo a la madre lactante en su casa, en el trabajo y en la comunidad llevan a cifras bajas de lactancia en el mundo. México no se escapa ya que es tan solo de 14%.

Amamantar no es un comportamiento totalmente instintivo, se requiere un periodo de aprendizaje tanto de la madre como del recién nacido. Además, existe un importante componente cultural. Hoy vemos un cambio de paradigma en la trasmisión de comportamientos y valores de generación en generación, que desafortunadamente ha perdido relevancia con el paso de los años, este incluye la cultura del amamantamiento que ha cedido el paso a una generación de abuelas que no lactaron y que no saben cómo apoyar a las madres actuales partiendo de su propia experiencia, poniéndose a merced de los medios de comunicación y la continua promoción de alimentación con fórmulas infantiles como símbolo de modernidad.

Mientras que la mortalidad infantil desciende en los países en desarrollo, vemos que esta aumenta en el periodo neonatal. Durante las primeras horas después del parto, se concentra hasta 45 % de todas las muertes neonatales y maternas.

Esto nos lleva a pensar en la importancia de implementar mejores prácticas preventivas durante la atención del parto para evitar tanto la mortalidad neonatal como la mortalidad materna. Prácticas que favorezcan la normalidad del nacimiento, el contacto temprano piel a piel, el alojamiento conjunto durante la estancia en el hospital y la implementación efectiva de la asesoría a las madres sobre la lactancia materna. Y es que la evidencia más reciente nos dice que con estas prácticas de atención maternoinfantil también existen beneficios a largo plazo en la salud, la nutrición y el desarrollo cognitivo de los niños.

A diferencia de otras intervenciones orientadas a salvar vidas, la implementación de estas prácticas no tiene costos recurrentes. Una vez establecidas como una práctica estandarizada de atención en las instituciones de salud, millones de madres y sus recién nacidos cosecharán sus beneficios.

Anatomía y fisiología de la lactancia

Las glándulas mamarias están compuestas de tejido glandular, ductos, tejido conectivo y tejido adiposo. Inician su formación a las seis semanas de gestación y al nacer ya están completamente formadas permaneciendo en estado de latencia hasta la adolescencia, etapa en la que las hormonas de crecimiento, estrógenos y progesterona estimulan su crecimiento y desarrollo. Las glándulas mamarias van cambiando durante las diferentes etapas de la vida, los cambios más aparentes se dan durante el embarazo preparándose para la lactancia; el sistema de ductos se modifica con un proceso de maduración y multiplicación propiciado por la acción de las hormonas; estrógenos, progesterona, hormona de crecimiento, lactógeno placentario, prolactina y oxitocina.

El tejido glandular se distribuye en forma homogénea en los senos, formando una ramificación cubierta de lóbulos (16 a 20), lobulillos (20 a 40 en cada lóbulo) y alveolos (10 a 100 en cada lobulillo), constituyendo la célula funcional de la glándula, en ellos se produce la leche, que drena a los ductos que la conducen al pezón, que es el sitio donde la obtiene tu bebé al succionar. El 37% del tejido de los senos es grasa, es mínima cerca del pezón, lo que le da la capacidad de distensión que permite que el pezón pueda alargarse.

Durante el embarazo hay cambios notorios en la pigmentación de la areola y el pezón que se notan más oscuros, también existe el crecimiento de las glándulas de Montgomery y la secreción mínima de calostro.

Al proceso de maduración de los ductos y de las glándulas encargadas de la producción de leche se le conoce con el nombre de "lactogénesis", y se divide en dos etapas:

Lactogénesis 1

Consiste en la maduración y multiplicación del sistema de ductos y de la preparación de la glándula en virtud de la acción hormonal, quedando lista y capacitada para iniciar la lactancia a partir del parto.

Lactogénesis 2

Responsable de la producción de leche, basada en el vaciamiento y llenado regular y frecuente de los alveolos, se inicia después del nacimiento y tiene efecto todo el tiempo que se extraiga la leche. En esta

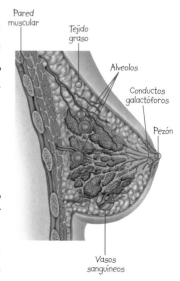

Pared
muscular

Tejido
graso

Alveolos

Conductos
galactóforos

Pezón

Vasos
sanguíneos

etapa, la producción de leche depende básicamente de dos hormonas: prolactina y oxitocina, ambas responden a un mecanismo de retroalimentación originado por la succión de tu bebé al pezón, se realizan estímulos sensoriales que llegan al hipotálamo que a su vez estimula la liberación de prolactina en la hipófisis, y es responsable de la formación de leche en el epitelio secretor de los alveolos, en ellos se producen los mecanismos de producción de leche (cuando tus senos se encuentran vacíos) o de inhibición de la misma leche (si se encuentran llenos).

La oxitocina también es estimulada por la succión de tu bebé, mediante el mismo mecanismo de retroalimentación, aumenta su producción y es responsable del vaciamiento de la leche a nivel de los alveolos; la oxitocina puede ser antagonizada por hormonas de estrés y por presencia de dolor, cuando esto predomina, aunque haya leche en los alveolos, se inhibe el reflejo de eyección de la leche y por tanto los senos no se vacían.

Características de la leche materna

La leche materna tiene características tan especiales que la hacen única en la alimentación de los recién nacidos y los lactantes. Conocer sus componentes tanto de nutrimentos como de propiedades inmunológicas te permite tener argumentos contundentes para apoyar tu decisión de optar por la alimentación de tu bebé con leche materna.

La leche humana tiene variabilidad

Dependiendo del momento específico del que se trate, la leche materna tiene características que van variando.

La primera secreción que el pecho ofrece existe desde el primer trimestre del embarazo, se conoce como precalostro y es un exudado de plasma rico en inmunoglobulinas, lactoferrina, sodio, cloro y lactosa.

Si el bebé nace prematuro, la leche humana ya está presente y es específica para el momento de desarrollo en el que nace el bebé; cuando el nacimiento ocurre en la semana 35 del embarazo o antes, la leche es diferente de la que la madre produce después de un parto a término. Cuando el bebé es prematuro, la madre secreta "leche prematura" hasta que este alcanza la madurez de un recién nacido de término. Un bebé prematuro debe ser alimentado con la leche "prematura" de su madre, pues aún no está listo para digerir la leche "de término".

La leche prematura tiene diferencias fundamentales con la de una mamá de término (40 semanas de embarazo); sus características son las siguientes:

a) Contiene mayor cantidad de proteínas, nitrógeno total, magnesio, hierro, sodio, cloro e inmunoglobulinas que actúan como defensas en el bebé y le brindan mayor resistencia a las infecciones.

b) Tiene mayor contenido de grasas y, por ende, de calorías, las cuales favorecen el mejor crecimiento del bebé. También contiene grasas específicas para el desarrollo del sistema nervioso (colesterol y ácidos grasos libres de cadena larga como de cadena corta).

c) Tiene mayor contenido de sodio y cinc (elemento importante en las funciones de defensa del bebé).

d) Contiene niveles bajos de lactosa (azúcar principal de la leche), lo que beneficia la digestión y absorción por parte del bebé prematuro, quien presenta niveles bajos de lactasa (la enzima específica para digerir la lactosa), por lo cual el bebé prematuro no tiene la madurez enzimática para digerir la leche "de término".

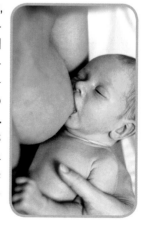

Debido a las características señaladas, además de las propiedades de defensa que presenta, la leche materna es el alimento ideal para el recién nacido prematuro, ya sea administrada por sonda, cuando el bebé aún no succiona, en vasito o bien, directamente por la succión al pecho.

En cuanto nace el bebé, las glándulas mamarias producen el calostro con una alta densidad en bajo volumen. Contiene grandes porciones de proteínas, inmunoglobulinas, sodio, cinc y vitaminas liposolubles.

Alrededor del tercer día de vida se presenta la leche de transición, la cual tiene una elevación de hidratos de carbono, grasas, volumen y vitaminas hidrosolubles, con una disminución de proteínas, inmunoglobulinas y vitaminas liposolubles, debido a la dilución que experimenta esta leche al aumentar su volumen.

Entre el tercer y quinto días se obtiene la leche llamada madura que presenta un perfil estable de sus diferentes nutrimentos. Su producción se prolonga durante los meses que una madre continúa lactando ya que el mecanismo para la producción es precisamente la succión del bebé con el consecuente vaciamiento de los senos.

Según el momento del día o de la noche, la leche materna varía en sus principales nutrimentos. Quizá el cambio más importante se presenta durante la noche, ya que a partir de las 24 horas tiene un aumento importante en la cantidad de grasas, con disminución del volumen, proteínas y carbohidratos. Si recordamos que una función de las grasas es la sensación de saciedad, resulta lógico pensar que el bebé durante la noche recibirá una leche con mayor aporte de grasas, lo que permitirá que en forma paulatina sus episodios de alimentación nocturna vayan disminuyendo.

Durante cada tetada, todos los componentes de la leche materna permanecen sin cambios, excepto la cantidad de grasa que va variando; inicia siendo reducida y va en aumento hacia el final de la tetada, llegando a las cifras más altas hacia los 10 minutos de succión del bebé.

En las madres con desnutrición franca existe hacia el tercer mes de vida del bebé una disminución del volumen de leche así como del aporte de grasas. A pesar de ello, no se recomienda que la madre desnutrida no amamante, sino que desde la etapa prenatal o en la etapa posnatal reciba orientación nutricional para mejorar su alimentación y su nutrición para así lograr que su bebé reciba la alimentación que solo la leche materna puede darle.

Pueden existir variaciones individuales en la leche materna; se ha reportado el caso de madres bien nutridas que presentan una producción láctea adecuada, pero con disminución de grasa en su leche, en especial de ácidos grasos de cadena larga. Puede ser por alteraciones en la conversión de ácidos grasos, o bien, porque la madre ingiera cantidades disminuidas de grasas en su dieta, ya sea por eliminar grasas de su alimentación o por consumir productos bajos en grasa. En todo caso, ante un bebé con pobre aumento de peso estamos obligados a realizar un interrogatorio profundo que nos permita orientar a la madre sobre su dieta para definir cómo debe mejorarse o si existe alguna otra causa.

También existen variaciones en el volumen. En la etapa del calostro la cantidad de leche es mínima, pero suficiente para satisfacer las necesidades del recién nacido. Hacia la etapa de leche de transición, se presenta un aumento sustancial que es notado fácilmente por la madre y que será más evidente hacia la etapa de la leche madura.

Calostro: 175 ml diarios
Leche de transición: 550 ml diarios
Leche madura: 700-800 ml diarios

Se ha observado que las madres con obesidad tienen niveles de prolactina menores que, aunados a otros factores psicosociales o a la dificultad para el acoplamiento del bebé a pechos muy grandes, pueden condicionar una disminución en la producción láctea por lo que ellas requieren asesoría especializada para superar las dificultades.

Contraindicaciones para amamantar

Son muy pocas las situaciones que contraindican la lactancia, pero es importante el consejo médico específico en cada caso.

La madre no debe amamantar si padece alguna enfermedad grave como:

- Virus de la Inmunodeficiencia Humana.
- Virus de la leucemia humana de células T tipo 1.
- Citomegalovirus (en recién nacidos prematuros o inmunodeficientes).
- Fiebre hemorrágica por virus Marburg.

- Si la madre toma medicamentos que contraindiquen la lactancia como:

  - Cloranfenicol.
  - Yodo (antitiroideo y como radioisótopo).
  - Efedrina.
  - Antitrombóticos: fenindiona, ilopost.
  - Clorfeniramina.
  - Antihipertensivos: acebutolol, atenolol, prazocina y diazóxido.
  - Trancilcipromina (antidepresivo).
  - Bromocriptina.
  - Isotretinoina.
  - Radiofármacos: requieren suspensión temporal.
  - También contraindican la lactancia algunas situaciones muy poco frecuentes en el bebé, como la galactosemia y la fenilcetonuria (parcial).

¿Por qué amamantar?

La mejor forma de alimentar a tu bebé es la lactancia materna para proteger su salud y su desarrollo normal, tanto físico como emocional.

- La Organización Mundial de la Salud reconoce que los bebés amamantados se enferman y mueren menos que los que no.
- La lactancia favorece el desarrollo del cerebro; del lenguaje, las habilidades de pensamiento, el control motor y la percepción visual.
- La lactancia materna reduce el riesgo en los niños de tener sobrepeso y obesidad; también previene la diabetes e hipertensión.

Al asumir tu maternidad, un paso importante es amamantar a tu bebé por las ventajas físicas y emocionales que este proceso tiene para él. Está demostrado que el desarrollo neurológico del bebé será mejor si lo amamantas. Además, si te decides a hacerlo, puedes disfrutar mucho tu lactancia y aprovechar los beneficios que también tiene para ti.

La naturaleza es sorprendente, tu cuerpo producirá justo la cantidad de leche que tu bebé necesita, solo se requiere tu libre decisión de hacerlo y poner manos a la obra.

El bebé es el mejor estimulador, a mayor succión del pequeño, mayor será la producción de leche. Es importantísimo que lo recuerdes, pues tu confianza y tu seguridad repercutirán en el éxito de tu lactancia. Si estás segura de que habrá suficiente leche para el bebé, no tendrás dudas y sabrás qué hacer pues el mismo bebé te irá dando la pauta.

El bebé, al igual que todos los mamíferos, necesita estar cerca de su madre para que pueda mamar cada vez que lo requiera, por ello debes estar consciente de que en los primeros meses necesitas estar cerca de tu hijo. Las separaciones prolongadas no son posibles porque habrá que alimentar al bebé cada dos o tres horas, aunque en ocasiones haya intervalos mayores.

Debemos reiterar la importancia de la relación entre succión y producción, de modo que si quieres producir más leche, es indispensable alimentar al bebé más seguido, para que haya mayor estímulo y, por tanto, producción más abundante.

La leche materna es el mejor alimento para el bebé. Es un líquido vivo que contiene vitaminas, nutrimentos, aminoácidos y grasas suficientes para el recién nacido. Durante el primer año de vida del bebé, es el alimento específico para sus neuronas. Es importante recordar que la nutrición, durante su primer año, es básica. La leche materna es la ideal para el bebé y se aprovecha al máximo.

A través de tu leche, proporcionas a tu hijo todos los anticuerpos que requiere para estar protegido contra varias enfermedades. Por ello, los que se alimentan con fórmula, se enferman con mayor frecuencia que quienes lo hicieron con leche materna.

Aliméntalo tú misma

La leche humana tiene propiedades bactericidas que protegen a tu bebé de enfermedades gastrointestinales además de reducir la probabilidad de cáncer y de enfermedades respiratorias.

El contacto piel a piel con tu bebé, el olor, el calor, el abrazo, le brindarán la seguridad y el cariño que necesita. Psicológicamente, esta cercanía reporta grandes beneficios ya que se estrecharán los lazos afectivos entre los dos. La lactancia materna es la mejor opción para el óptimo desarrollo integral de tu bebé, para su desarrollo motriz, para el desarrollo del habla y para su sociabilidad. La configuración interna de la boca y de la mandíbula serán mejores si se ejercitan al succionar el pecho de su madre. Un niño alimentado con leche materna se comunicará más rápidamente porque articulará más temprano los sonidos del lenguaje y lo hará con mayor perfección.

Le ayudará también a ser un individuo seguro de sí mismo y a acrecentar su capacidad de amar, porque él ha tenido la experiencia de ser amado intensamente.

La leche materna ofrece enormes beneficios tanto para el bebé como para su madre. Durante varios lustros se creyó que las leches industrializadas y modificadas para asemejarlas a la materna, constituían la mejor alternativa; sin embargo, el tiempo demostró que la primera opción en la alimentación de los niños es y seguirá siendo la leche materna.

Debido al uso generalizado de fórmulas infantiles en años anteriores (leche de vaca modificada en su contenido), se han desarrollado diversas investigaciones para comparar la evolución de niños alimentados con fórmulas y niños alimentados al seno materno. Los hallazgos son muy interesantes:

1. La diarrea y las infecciones respiratorias se presentan con una frecuencia dos y media veces menor en los niños alimentados al seno materno que en los alimentados con fórmulas.

2. Los niños alimentados con leche materna tienen 25 veces menos posibilidades de morir durante los primeros seis meses de vida, que los niños alimentados con fórmulas, ya que se enferman menos, y si sufren algún trastorno, las afecciones son menos graves.

3. En recién nacidos prematuros, el efecto de la lactancia materna cobra especial interés. En Inglaterra, se estudió a 700 prematuros a quienes se evaluó durante siete años. Los científicos compararon el desarrollo psicomotor de los bebés y establecieron su coeficiente intelectual. Entre las variables incluidas en el estudio, las referidas al tipo de alimentación láctea fue un factor predictivo para su desarrollo ya que, al finalizar los siete años de seguimiento, ambos grupos tenían un coeficiente intelectual normal, pero el grupo que había recibido leche materna tenía siete puntos más que el grupo alimentado con fórmula infantil.

Estas ventajas son solo algunas de las muchas que brinda la leche humana, por eso en la actualidad se promueve el regreso a la lactancia, que ofrece el alimento ideal para el bebé.

Diferencias entre la leche materna y la fórmula

Las diferencias son múltiples y todas indican que la alimentación al seno materno es la mejor opción. A continuación se mencionan algunas de ellas:

1. Azúcares. En ambas, la lactosa es el principal componente, pero la leche materna tiene factores de crecimiento para lactobacilos en el intestino del niño, lo que permite que las heces sean más ácidas y esto impide el crecimiento de bacterias (*Escherichia coli*) u hongos (*Candila albicans*, conocida como algodoncillo) que son dañinos para el bebé.

2. Proteínas. La proteína de la leche materna es de más fácil digestión (entre otras razones, por contener menor cantidad de caseína) que la de las fórmulas. Además proporciona inmunoglobulinas, ausentes en las fórmulas, que brindan protección al bebé. La leche materna no contiene beta-lactoglobulina, que está presente en las fórmulas y es la principal fracción de proteína que propicia la alergia a la leche de vaca.

3. Grasas. La leche materna contiene colesterol y ácidos grasos libres de cadena larga que favorecen el desarrollo del sistema nervioso central, además de contar con un factor de crecimiento del sistema nervioso. Estos elementos no forman parte de la leche de vaca ni de las fórmulas infantiles. Esto explica, en buena medida, el mejor desarrollo que muestran los bebés prematuros alimentados al seno materno.

Componentes exclusivos de la leche materna

La leche materna contiene sustancias que favorecen la absorción de nutrimentos y factores de defensa para el bebé.

a) Hormonas. Existen diversos tipos de hormonas cuyas funciones son importantes para el bebé. Por ejemplo, las prostaglandinas aumentan los movimientos gastrointestinales, que favorecen que el vaciamiento gástrico de la leche se produzca en 90 minutos, mientras que la leche de vaca tarda de tres a cuatro horas. Además, permite que el niño alimentado al seno materno defeque más fácilmente, por la menor consistencia de las evacuaciones y por el mayor número de las mismas puede hacerlo con cada tetada, a diferencia del niño alimentado con fórmula, que tiende al estreñimiento.

Otra hormona es la prolactina, llamada hormona de la maternidad y del amor, ya que actúa en el sistema nervioso central tanto en la madre (favoreciendo los sentimientos de apego y cariño) y en el niño (actúa en el desarrollo de diversos núcleos específicos). A su vez, las hormonas tiroideas, disminuyen los problemas en los recién nacidos con hipotiroidismo congénito, sin que esto evite administrar hormonas específicas a estos niños. La leche materna también contiene interleucina I, que favorece el desarrollo de las propiedades inmunológicas (de defensa) en el niño y es, asimismo, un potente pirógeno (productor de calor) tanto en el niño como en la madre.

b) Enzimas. La leche materna contiene la alfa-lactoalbúmina. En casos de diarrea, cuando se afecta la lactasa (enzima que digiere el azúcar de la leche llamada lactosa), ese componente permite que el niño se recupere con mayor rapidez. Así, en casos de diarrea, no se recomienda la suspensión del amamantamiento, pues es extremadamente raro que un bebé curse con intolerancia al azúcar de la leche materna. Esta también contiene lipasa, que ayuda a la absorción de las grasas, así como sales biliares que cumplen la misma función.

c) Factores protectores. Quizá sea la principal virtud de la leche materna, ausente en las fórmulas infantiles. Contiene diversos elementos que, en conjunto, hacen que el niño alimentado al seno materno se enferme menos y con menor gravedad. Los elementos de defensa son los siguientes:

- Células leucocitos (macrófagos y linfocitos).
- Inmunoglobulinas (principalmente Ig A).
- Factores no inmunológicos: lactoferrina, factor de crecimiento de lactobacilos, factor antiestafilocócico, etcétera.

Todos estos elementos tienen propiedades específicas de defensa contra las principales causas de enfermedad en los niños:

- Diarrea, ocasionada por *E. coli*, *campylobacter*, salmonela, *shigella*, cólera, rotavirus, amibiasis.
- Infecciones respiratorias por neumococo, estafilococo, estreptococo, *H. influenzae*.
- Otras con sarampión, tosferina, rubéola, difteria, parotiditis (paperas), candidiasis (algodoncillo), tétanos, poliomielitis.

Ictericia y leche materna

La ictericia (color amarillento de la piel y mucosas) se ha asociado a la leche materna. Existen dos tipos: la temprana y la tardía.

La ictericia temprana asociada con leche materna está relacionada con dos factores:

- Número de tetadas. A mayor número de tetadas al día, se observa un menor grado de ictericia; por tanto, se recomienda ofrecer el pecho con intervalos no mayores de tres horas durante los primeros 10 días de vida. Con esto se asegura un adecuado aporte de leche, que disminuye la elevación de bilirrubinas (que dan el color amarillo) y el conveniente incremento de peso.
- No ofrecer agua, té ni otro tipo de líquido. Se sabe que la administración de estos líquidos claros favorece el aumento de la ictericia en el recién nacido, ya que permite una mayor absorción intestinal de bilirrubina.

Así, la ictericia temprana asociada a leche materna comienza hacia el tercer día de vida y finaliza hacia los siete días. Como hemos señalado, esta afección se evita alimentando al recién nacido con leche materna en forma exclusiva y frecuente, en especial durante los primeros días de vida, sin ofrecerle líquidos que no le nutren e incrementan su ictericia.

La ictericia tardía por leche materna puede iniciarse hacia el final de la primera semana de vida, llega a su máximo a las dos semanas y en ocasiones se prolonga hasta por tres meses, sin que afecte al niño. Esta ictericia se asocia a diversos elementos contenidos en la leche materna y no hay manera de evitarla.

Cuando un bebé presenta ictericia por leche materna, lo más importante es que continúe su alimentación con la mejor opción para él: la leche de su madre.

Tu alimentación durante la lactancia

Debes alimentarte de manera balanceada, completa y suficiente. Si tu peso es promedio, necesitas:

- De 1600 a 2400 calorías por día.
- Durante la lactancia debes aumentar 500 calorías adicionales (una taza de leche, 2 rebanadas de pan, 2 cucharadas de crema de cacahuate y una manzana equivalen a 500 calorías).

Esto significa un aporte mayor que durante el embarazo en el que necesitabas 300 calorías extras en tu dieta.

Lo que comes influye en la cantidad de grasa y vitaminas que contenga tu leche; asimismo, la cantidad de líquido que bebas tendrá un efecto considerable en la cantidad de leche que produzca tu cuerpo.

Para producir la leche materna, tu cuerpo toma las calorías necesarias de la grasa que acumuló durante el embarazo en tus tejidos. Por eso el bebé se alimenta bien y al mismo tiempo tú pierdes la grasa que te sobra. Es necesario que comas bien desde el inicio de la lactancia para cuidar tu salud y evitar la fatiga extrema.

Debes tomar mucha agua, sentirás mucha sed, escucha las necesidades de tu cuerpo, el agua es fundamental para fabricar la leche materna. Te recomendamos 6 a 8 vasos de agua para prevenir el estreñimiento, cada vez que amamantes asegúrate de tener cerca agua y tomarla según la requieras. Los alimentos que ingieras cambiarán el color y el sabor de tu leche y algunos causan alguna reacción en el bebé, solamente observando podrás definir si algún alimento le causa problemas para decidir retirarlo de tu dieta.

Científicamente se ha demostrado que consumir en exceso leche y sus derivados, puede ser causa de que el bebé presente alergia a la proteína de la leche de vaca que comienza a pasar por la leche materna, como cólico, lesiones de la piel y vómito entre otros síntomas.

Otros productos que pueden causar molestia en el bebé son los que contienen cafeína como café, té, refresco de cola y chocolate.

La función de la lactancia

Los senos son órganos delicados que tienen tejido glandular, tejido conectivo, tejido graso y conductos para la leche que llegan hasta el pezón. Los conductillos en el pezón están rodeados de tejido muscular que hacen que se erecte cuando se les estimula. Rodeando al pezón se encuentra un área circular más oscura, llamada areola, que por la acción de las hormonas crece y se oscurece aún más durante el embarazo. En la areola hay glándulas sebáceas, que sirven para lubricar y mantener el pezón y la areola libre de bacterias, llamadas tubérculos de Montgomery, que parecen pequeños granitos; evita jabón y alcohol sobre la areola y el pezón para evitar la irritación y la aparición de grietas durante la lactancia.

El tamaño de los senos está dado por tejido graso y no tiene relación con la producción de leche de las glándulas mamarias. Tener senos pequeños no afecta en absoluto para poder amantar con éxito ni tampoco incide en la producción de la leche.

Existen diferentes tipos de pezones por lo que es importante que los revises, algunas mujeres pueden tener un pezón plano o incluso invertido. Si tomas tu pezón entre tus dedos índice y pulgar y lo presionas tomándolo desde la areola observa que se erecta y se proyecta hacia fuera aun cuando sea algo plano. Si por el contrario, se sume hacia atrás, se trata de un pezón invertido y es importante consultar a una asesora de lactancia ya que este problema se puede manejar y concluir esta etapa con éxito.

El funcionamiento de los senos es sorprendente; desde las 16 semanas de embarazo los senos tienen la capacidad de producir leche, por lo que ciertas mujeres pueden notar algunas gotas de calostro, que es la primera secreción que el pecho ofrece desde el embarazo. Esto significa que cuando nace el bebé, tú ya tienes listo el calostro para alimentarlo y satisfacer sus necesidades desde el primer momento. De 3 a 5 días empezarás a producir propiamente leche: la cantidad que tu bebé requiera, si mantienes una buena estimulación, alimentándolo a libre demanda de día y de noche.

La estimulación del pezón a través de la succión del bebé, envía mensajes a la glándula pituitaria en el cerebro para que secrete la hormona prolactina que se encarga de estimular la glándula mamaria para que produzca leche.

También se libera hormona oxitocina encargada de contraer las células que rodean a la glándula mamaria para bombear la leche hacia los conductos que finalmente llegan al pezón. A esto se le llama reflejo de emisión, de eyección o de bajada de la leche, que puede o no acompañarse con sensaciones como cosquilleo, calor y turgencia. Las emociones, la fatiga y la tensión pueden retardar esta respuesta, sin embargo basta con unos segundos de succión del bebé para que él obtenga –y tú notes– la presencia de la leche en su boca.

El reflejo de emisión puede estimularse además de la succión, por el llanto del bebé, olores que te lo recuerden, pensar en tu bebé, ver otros bebés o masajear suavemente el seno antes de usar una bomba para extraer leche. La oxitocina también ayuda a que la madre se mantenga relajada.

El calostro es el primer alimento que ofreces a tu bebé, es color amarillento y sale antes de la bajada de la leche, tiene todas las propiedades nutritivas necesarias para el recién nacido, es rico en proteínas y de fácil digestión.

El calostro tiene propiedades inmunológicas, es rico en anticuerpos y protege a tu bebé de enfermedades. La función del calostro consiste en preparar el tracto digestivo del bebé, recubriéndolo y protegiéndolo de gérmenes nocivos. Además es un excelente laxante que ayuda a eliminar el meconio (primera evacuación negra, pegajosa y difícil de evacuar) y también afloja flemas y moco. Está presente en los primeros 2 o 3 días de vida.

Todas las mamás, por el hecho de haber dado a luz, tienen leche. No debes ponerlo en duda. Es imprescindible que empieces a amamantar desde el primer contacto con tu bebé después del parto. Por ello, reitera al ginecólogo y al pediatra que tienes decidido amamantar a tu bebé, y que solicitas todo su apoyo para lograrlo con éxito.

La leche materna se presenta entre el tercer y el quinto día; de 48 a 72 horas la leche cambia y aumenta en cantidad en relación directa con la succión que realiza el bebé.

Cada vez que amamantas, notarás que la primera leche que ofreces al bebé es delgada y acuosa con una coloración ligeramente azulada o violácea. Contiene gran cantidad de agua que satisface la sed de tu bebé. Conforme pasan varios minutos al amamantar, notarás que el aspecto de la leche se modifica ya que ahora esta tiene mayor concentración de grasa, es más blanca, se ve cremosa y tiene un efecto calmante en el bebé, lo satisface y le ayuda a aumentar de peso.

Es importante que cada seno se vacíe por completo para que el bebé esté bien nutrido, por ello te recomendamos amamantarlo hasta que él se desprenda del pecho y se duerma. Los primeros días esto sucede habiéndolo alimentado solo de un seno, no te preocupes, a la siguiente comida aliméntalo con el otro lado y asegúrate que también se vacíe por completo y es que así tendrás la producción de leche que tu bebé necesita.

Para que tanto tú como tu bebé se recuperen del parto con mayor rapidez, es conveniente amamantar. Tu bebé obtendrá los máximos beneficios y tú, al continuar con la función fisiológica normal de la lactancia, también te repondrás pronto; la involución uterina será más fácil, por lo que el útero sanará y regresará, en menos tiempo, a su tamaño y posición originales.

La succión de tu bebé estimula la hipófisis en tu cerebro, provocando que libere dos hormonas: la prolactina, que es la encargada de la producción de la leche; y la oxitocina, que hace que la leche baje (reflejo de emisión). Además, esta última hormona provocará contracciones uterinas (entuertos) lo suficientemente efectivas para que el útero se recupere reduciendo su tamaño. Por otra parte, toda la grasa que se acumuló a lo largo del embarazo será aprovechada durante la lactancia, ya que la leche materna tiene un alto contenido de grasas, que se obtienen de tus tejidos. Así, adelgazarás espontáneamente y recuperarás tu figura al cabo de pocas semanas, sin necesidad de someterte a dietas exageradas.

Durante milenios, la leche materna fue el único alimento para los bebés recién nacidos, por lo que es claro que la especie humana ha sobrevivido gracias a la lactancia materna.

En los últimos años se observa una franca declinación de la lactancia materna en todo el mundo, debido probablemente a las condiciones de vida y de trabajo, a la falta de información y a paradigmas culturales. Esto es peligroso para la población infantil, ya que su desarrollo se afecta, aumentando la probabilidad de que los niños se enfermen y que la tasa de mortalidad infantil se incremente.

La disminución de la lactancia materna se debe, en parte, a la introducción de leches artificiales y de otros alimentos suplementarios para niños. En México, la situación es preocupante. Sabemos que una de las principales causas de la muerte en niños menores de cinco años es la enteritis y otras enfermedades diarreicas, las cuales se incrementan en los bebés que no son amamantados. Por otro lado, el destete precoz y la falta de saneamiento, sobre todo en comunidades marginadas, son factores causantes de la desnutrición y muerte de menores.

Recuerda que la lactancia es una función normal y fisiológica en cualquier mamífero. Todo mamífero tiene glándulas mamarias que producen la leche específica para cada especie.

El ser humano también es mamífero, por tanto, las mujeres producen la leche específica para sus bebés. La naturaleza tiene todo extraordinariamente dispuesto para que tú decidas libremente hacerlo.

Beneficios de la lactancia

- La leche materna es el mejor alimento para el recién nacido, el de más fácil digestión, el más completo y nutritivo.
- La lactancia aumenta los lazos de unión entre madre e hijo.
- Implica un contacto piel a piel.
- Mientras amamantas se da el contacto visual y la estimulación de la voz.
- Se estimula el sentido del gusto y del olfato.
- El bebé se nutre perfectamente y satisface sus necesidades emocionales.
- El bebé ejercita los ojos y el cuerpo simétricamente, lo que favorece su desarrollo psicomotor.
- Se reduce la incidencia de alergias.
- Los bebés son menos susceptibles a eczemas, rozaduras, resfriados e infecciones en el oído.
- El desarrollo físico de mandíbulas, dientes y encías es óptimo, por lo que se facilita el desarrollo del lenguaje.
- Los niños amamantados padecen menos caries.
- No se necesita preparación, calentamiento, refrigeración o esterilización. Y no implica un gasto para la familia, ya que la comida que necesita una madre al amamantar, cuesta menos que las fórmulas, los biberones y el equipo para esterilizar.
- La leche materna tiene propiedades bactericidas y es rica en anticuerpos que protegen la salud del bebé.
- La leche materna se puede extraer, refrigerar o congelar para casos en que la madre necesite separarse del niño varias horas.

Cómo ofrecer el pecho a tu bebé y lograr que se prenda al pezón adecuadamente

La transferencia de la leche se da mejor con una posición apropiada, puede ser acostada o sentada. La postura que favorezca que el bebé se prenda correctamente al pecho varía de madre a madre, tú vas a encontrar las posiciones que más les acomoden a los dos y podrás alternarlas.

Busca una posición cómoda. Sentada, con tu espalda erguida, bien apoyada en el respaldo y tus hombros relajados.

a) La carita de tu bebé debe mirar de frente al seno y su abdomen ha de estar pegado al tuyo. Su oreja, hombro y cadera deben estar alineados.

b) Toma el seno con toda la mano y con el pezón, provoca el reflejo de búsqueda o de hociqueo, acariciando su labio superior y la punta de su nariz.

c) Cuando el bebé abra la boca grande, introduce el pezón lo más atrás posible, para que el primer movimiento de mamar lo haga sobre la areola.

Signos de una adecuada transferencia de leche

1. Tu bebé muestra un ritmo sostenido de succión y muestra un patrón de tragar y respirar con pausas.
2. Escuchas claramente que tu bebé traga la leche.
3. Sus brazos y manos están relajados.

Te recomendamos ofrecer a tu bebé un solo pecho, procurando que se vacíe por completo (esto será entre 15 a 30 minutos), haz eructar a tu bebé, cámbiale el pañal, para que se despierte y ofrécele el segundo pecho hasta que se sacie o se quede dormido (aproximadamente entre 10 a 30 minutos), haz que eructe y déjalo dormir. En algunos casos, después de haber tomado ambos pechos, el bebé continúa con hambre y es necesario ofrecerle un poco más como "postre".

Si el bebé duerme más de tres horas, en la primera semana de vida, se recomienda que lo despiertes y le ofrezcas de comer.

Es muy importante que al amamantar dejes a tu bebé ligero de ropa ya que, si está muy cubierto, se quedará dormido y no hará tomas completas, generando que se despierte en poco tiempo, lo que te puede llevar a la falsa creencia de que tu bebé no está satisfecho con tu leche y que necesita complemento con fórmula. Evita caer en este error.

¿QUÉ HACER Y QUÉ NO HACER?

Sí	No
• Solicita en el hospital alojamiento conjunto, para mantener al bebé junto a ti.	• No te separes de tu hijo.
• Es muy importante que reciba el calostro desde las primeras horas de vida.	• No lo alimentes con suero ni con fórmula.
• Tu bebé demanda el alimento de día y de noche.	• No uses bomba tiraleche (de forma de claxon de bicicleta, ya que lastima y es poco efectiva).
• Lava tus pezones únicamente con agua.	• No laves tus pezones con jabón ni con alcohol.
	• No fijes horarios rígidos.

Sí	No
• Vacía tus senos cada tres horas. Si por alguna razón el bebé no lo hace, usa bomba tiraleche de pila o émbolo. También puedes extraerla manualmente.	• No te impacientes: tu bebé y tú necesitan conocerse al estar juntos.
• Si tu hijo nació por cesárea, debes amamantarlo; solo protégete la herida con una almohada.	• No tengas visitas observando mientras amamantas a tu bebé, ya que puedes ponerte nerviosa.
• Amamanta sin prisa ni presiones.	• No ofrezcas tu pecho al bebé tomándolo entre los dedos, como si fuera un cigarrillo.
• Mantente relajada y segura de ti misma.	
• Asegúrate de que el bebé succione sobre la areola, jamás sobre el pezón directamente. Ofrécele el pecho, tomándolo con toda la mano y espera a que él abra la boca para que introduzcas el pezón lo más adentro posible hasta cubrir la areola.	• No utilices complementos de fórmula. Si el recién nacido tiene hambre, amamántalo con mayor frecuencia y así producirás más leche.
	• No le des agua, ni té y evita el chupón, si es posible. La leche materna contiene toda el agua que tu hijo necesita.
• Descansa, come bien y toma abundantes líquidos.	• No destetes pronto al bebé; puedes amamantarlo durante varios meses y si esperas un destete espontáneo, este ocurrirá entre el primer y segundo años de vida.
• Asegúrate de amamantar a tu hijo unas 10 veces al día (cuando es recién nacido).	
• Goza de tu lactancia todo lo que puedas.	• No te desanimes.
• Ten paciencia: el éxito de la lactancia dependerá de tu esfuerzo de los primeros días.	• No suspendas la lactancia a causa de grietas o plétora.
	• No te canses de ser mamá.

 ## LA LLEGADA A CASA

Para ella, les puede servir tomar en cuenta estas sugerencias:

- Que el papá se tome una semana de vacaciones para estar en casa disfrutando y ayudando.
- Organizar la ayuda que familiares y amigos puedan ofrecer como ir de compras, cocinar y cuidar a los hermanitos si los hay.

- El bebé necesita alimentarse frecuentemente de día y de noche por lo que conviene que duerman un rato de día, mientras el bebé duerme, para descansar un poco más.
- Que las visitas vengan ratos cortos y, si hay alguna necesidad en casa, pedirles su apoyo. Si el bebé tiene hambre, lo debes amamantar aun en presencia de tus visitas.
- Las prioridades en la casa son: alimentar y atender al bebé, ropa limpia para los tres y comida nutritiva. Todo lo demás puede esperar o puede delegarse.

> Asumir la maternidad implica recibir, amamantar y cuidar al bebé.

Una vez que nazca tu bebé es muy importante el contacto temprano contigo. También es recomendable la participación del papá para lograr que se refuerce el vínculo madre-padre-hijo. El contacto temprano de todos los recién nacidos sanos, inmediatamente después de su nacimiento, es fundamental. Te recomendamos que intentes el inicio inmediato de la lactancia materna en la sala de partos y que el bebé permanezca contigo por lo menos durante la primera hora de vida o bien hasta que amamantes por primera vez. En el parto y aun en la cesárea se recomienda que el bebé sea colocado piel a piel con su madre, ahí se seca, su mamá le proporciona el calor que necesita con su cuerpo y el pediatra lo atiende.

El contacto inmediato piel a piel, el retraso en el pinzamiento del cordón umbilical y el inicio temprano de la lactancia materna son tres prácticas simples que, además de proveer un beneficio inmediato al recién nacido, pueden tener un impacto a largo plazo en la nutrición y la salud de la madre y del bebé, y es que los beneficios en salud para los niños se extienden mucho más allá del periodo neonatal y del puerperio.

El contacto temprano piel a piel con su madre mejora la efectividad de la primera succión y reduce el tiempo para lograr una succión efectiva. Regula y mantiene la temperatura del recién nacido y mejora la estabilidad cardiorrespiratoria especialmente en bebés prematuros. El contacto piel a piel también favorece los comportamientos de afecto fortaleciendo el vínculo de apego con tu bebé. Asimismo, evita el dolor en los senos debido a la congestión mamaria que ocurre cuando el bebé no succiona desde las primeras horas.

El contacto temprano piel a piel tiene beneficios a largo plazo en el estado de la lactancia al mes y hasta los cuatro meses de posparto. Asimismo tiene un impacto positivo en el tiempo de duración de la lactancia, que inicia en la primera hora posterior al nacimiento. Recuerda que tu bebé sabrá qué hacer: él es el mejor maestro. Puedes amamantar en varias posiciones, alternarlas y elegir la que más te acomode:

1. Acunado sobre el codo.
2. Acunado sosteniendo su cabeza con tu mano en su cuello.
3. Acostada de lado.
4. Posición de "balón futbol americano".
5. Posición de frente.

Para una lactancia exitosa, el primer paso es vigilar que la boca del bebé esté acoplándose al pezón correctamente para succionar.

Si el bebé succiona solo la punta del pezón, lo va a lastimar y no podrá obtener suficiente leche. Para poder extraer leche se requiere de la combinación de la compresión adecuada de la areola por medio de la succión del bebé y el movimiento de su lengua.

Te sugerimos seguir los siguientes pasos:

1. Elige una posición cómoda.

2. Coloca la cara de tu bebé frente a tu seno izquierdo y su cuerpo pegado a ti.

3. Sostén su cabeza colocando tu mano derecha en su cuello de forma que el bebé pueda estirar su cuello y mover su cabecita hacia atrás libremente.

4. Con tu otra mano toma tu seno en forma de "C" con cuatro dedos en la parte de abajo del seno y el pulgar arriba. Deja completamente descubierta la areola y eleva tu seno ligeramente

5. Con tu pezón acaricia el labio superior del bebé y su nariz para estimular el reflejo de búsqueda u hociqueo, lo que le permitirá abrir muy grande su boca.

> No lo dudes, amamanta a tu bebé

6. Espera con paciencia a que el bebé por sí solo abra enorme su boca y en ese momento introduce el pezón para que él se acople a tu pecho adecuadamente. Lo primero que toca tu pecho es su barba ya que su cabecita está hacia atrás y su cuello extendido para tomar primero toda la parte de abajo de la areola y casi toda de la parte de arriba, de forma asimétrica.

7. Tu pezón debe quedar muy atrás (dentro) de la boca de tu bebé hasta alcanzar su paladar blando.

8. Para retirar al bebé del pecho, solo espera a que él lo haga. Si por alguna razón requieres retirarlo antes, introduce tu dedo meñique en la comisura de sus labios para que entre aire a su boca rompiéndose la succión y puedas retirarlo sin que te lastime.

9. Para que el bebé eructe el aire que ha tragado, enderézalo al terminar de alimentarlo del primer seno, sobre tu hombro, acostado bocabajo sobre tu regazo o sentado sosteniéndole la cabeza. Trata de que eructe también al finalizar el segundo pecho, a veces basta con presionar su estómago, darle suaves golpecitos o masaje en su espalda. Recuerda que no siempre traga aire, por lo que es posible que no siempre requiera eructar y se sienta bien.

Señales de una acoplamiento adecuado al seno materno

- Toda la areola dentro de la boca del bebé.
- Su lengua estirada descansando sobre la encía inferior.
- Sus labios enrollados hacia fuera (como pecesito).
- Ausencia de dolor.
- El bebé permanece acoplado al pecho succionando relajado y contento.
- Se escucha cómo traga.

Frecuencia y duración de la alimentación al seno materno

- La mayoría de los bebés recién nacidos requieren ser amamantados de 10 a 12 veces en 24 horas. El intervalo entre las comidas puede variar de una a tres horas. Hay momentos del día en que el bebé requiere comer con más frecuencia, debes permitirlo y te darás cuenta que de forma espontánea hay momentos del día o de la noche que espacia un poco más su demanda de alimento.
- Algunos bebés duermen mucho los primeros días, necesitas destaparlo y estimularlo para que despierte bien y se alimente adecuadamente. El contacto piel a piel es buena opción para estimularlo.

Es importante reconocer las señales de hambre que él te manda, como chuparse las manos, abrir la boca y voltear buscando, para alimentarlo cuando le haga falta.

Amamántalo hasta que muestre señales de estar satisfecho:

- Se despega por sí mismo tranquilo, relajado y hasta dormido.
- Succiona más lentamente como jugando, ya no escuchas que traga.
- Sientes el pecho vacío.

Es importante vaciar tus senos para estimular la producción de leche:

- Si se te duerme, ayúdalo a que eructe y cámbiale el pañal antes de ofrecerle el segundo seno para que despierte y termine de comer bien.
- Puede ser que solo quiera comer de un solo seno y ya no se despierte, esto es adecuado pues debes vaciarlo por completo, no te preocupes, y a la siguiente comida ofrécele el otro lado.
- Cuando tome los dos senos, altérnalos empezando a amamantar por el seno que terminaste, para asegurar un buen vaciado, ya que la leche del final de la tetada es rica en grasa y te asegura que el aumento de peso de tu bebé sea el adecuado para su edad.
- Háblale y comunícate con él mientras lo alimentas, acaricia sus pies, su espalda y su cabecita. Haz que estos momentos sean placenteros para los dos.

Cada vez que amamantas revisa estas tres "C":

1. Calma. Es necesario que estés relajada, si hay algo que te presiona, haz un ejercicio de relajación respirando profundamente para calmarte para que se desencadene el reflejo de emisión adecuadamente. Toma un vaso de agua, pon música y decide dedicar este tiempo a tu hijo.

2. Confort. Busca posiciones confortables ayudándote de almohadas y relájate, sube las piernas a un taburete. Apaga tu teléfono y pide en casa que no te interrumpan.

3. Cercanía. Coloca a tu bebé en contacto piel a piel, solo déjale el pañal. Si está pegado a ti no se va a enfriar, puedes cubrirle la espalda con una mantita. El apego entre los dos será cada día más fuerte y tendrás mucho interés en amamantar y lograrás que se afiance al pecho adecuadamente y no te lastime.

Periodos de crecimiento acelerado

Notarás que hay días que el bebé necesita comer con más frecuencia de lo usual, esto es normal y muy común en los bebés de pecho.

Esta necesidad dura de tres a cinco días y es el mecanismo por medio del cual el bebé aumenta la estimulación al succionar más seguido y se asegura que produzcas mayor cantidad de leche para ayudarlo a crecer.

Estos periodos de crecimiento acelerado son pasajeros por lo que después de algunos días de mucho trabajo, la demanda regresa a la normalidad.

> Confía en ti misma, lo vas a lograr, pon todo tu amor y entrega.

Estos episodios se presentan en tres momentos clave:

7 a 10 días   3 a 6 semanas   3 a 6 meses

¿Cómo saber si el bebé está comiendo lo suficiente?

Tendrás que observar a tu bebé cuidadosamente para estar segura que está alimentándose bien:

- Come entre una y tres horas y a veces duerme cuatro horas durante la noche.
- El bebé orina color amarillo claro y moja hasta seis pañales diarios.
- Evacúa meconio los primeros tres días. El meconio es materia fecal espesa y pegajosa de color negro.
- Alrededor del tercer día, la materia fecal cambiará de color a café y poco a poco se tornará amarillo mostaza. El bebé evacuará 3 o 4 veces al día, generalmente después de comer.
- Es frecuente que el bebé pierda un poco del peso con el que nació, pero alrededor de los 10 días siguientes ya debe haber recuperado el peso que tuvo al nacer y a partir de entonces aumenta entre 500 y 1000 gramos al mes.
- Escuchas cómo traga al succionar.
- Tu bebé está contento, satisfecho y duerme bien.

Señales de hambre del bebé:

- Succiona su lengua y labios dormido o despierto.
- Mueve los brazos y manos hacia su boca y se las chupa.

- Voltea la cabeza de lado a lado.
- Abre la boca buscando.
- Se muestra inquieto intentando despertar.

Señales de que el bebé está satisfecho:

- Se queda dormido.
- Su frente y su cuerpo están relajados.
- Abre sus manitas relajadas.
- Se suelta del pecho.

¿CÓMO SUPERAR LOS PROBLEMAS DE LA LACTANCIA?

Grietas y pezones adoloridos

Prevención

Amamantar no debe ser doloroso, puedes prevenir pezones doloridos y lastimados asegurándote de que el bebé se prenda al pecho adecuadamente. El pezón debe estar hasta atrás de la boca del bebé donde empieza su paladar blando y toda la areola también dentro de su boca. Su lengua debe estar extendida recargada sobre su encía inferior.

- Expón los senos al aire y al sol de tu habitación unos minutos después de bañarte y, si goteas un poco de calostro, deja que se seque solo.
- Date un pequeño masaje en cada pecho.
- No uses jabones, alcohol o lociones ni cremas en el área del pezón pues resecan la piel. Asolea los pechos.
- La piel se curte con el roce de la ropa cuando no uses sostén.

Curación

- Mantén la calma; no es necesario llamar al médico.
- No interrumpas la lactancia.

- Limpia los pezones con un poco de tu leche antes y después de que amamantes a tu bebé, con el fin de que no quede saliva sobre el pezón.
- Usa solo protectores de algodón o desechables, que no tengan hule.
- El aire y el sol ayudan a sanar las grietas.
- Usa una lámpara infrarroja durante un minuto, pero protégete los ojos a 30 cm de distancia.
- Utiliza lanolina después de airear y limpiar los pezones. Úsala en pequeñas cantidades, para que no requieras limpiarte en la siguiente tetada.
- Cambia al bebé de posición en cada tetada (estando tú acostada o en posición como para amamantar gemelos).
- Ofrece el pecho al bebé correctamente, que la boca de tu bebé cubra toda la areola.
- No te despegues al bebé tirando de él. Para interrumpir la succión, introduce tu dedo meñique en la comisura de los labios del bebé para que entre el aire, se rompa la succión y el pequeño se retire fácilmente.
- Dale primero del pecho que no tienes agrietado, durante unos 15 minutos.
- Cambia al bebé al otro pecho pero colócalo en diferente lugar para que no te lastime exactamente en donde tienes la grieta. Para ello, recorre al bebé sin darle vuelta, colócalo con los pies debajo de tu brazo, hacia atrás; o recuéstate, y así tomará el pecho en otro sitio.
- Puedes usar hielo antes y después de amamantar, para así adormecer el área del pezón y que no duela tanto.
- En un par de días estarás curada.
- Ten paciencia.

Plétora, congestionamiento o inflamación de los senos

Tres a cuatro días después del parto, puedes sentir los senos inflamados, endurecidos y pesados debido a la mayor circulación en los pechos, la hinchazón de los tejidos circundantes y a la acumulación de leche. Esto puede ser incómodo para algunas mujeres, por un par de días puede presentarse una sensación palpitante cuando baja la leche durante el reflejo de eyección. Para muchas mujeres no representa ninguna molestia, especialmente si tuvieron alojamiento conjunto durante la estancia en el hospital y amamantan frecuentemente a su bebé durante el día y la noche.

Prevención

- Amamanta apenas te sea posible. Inmediatamente después del parto, aun en la sala de partos.
- Pide alojamiento conjunto con el bebé, con el fin de que no te separen de él. Ofrécele pecho cada vez que despierte.
- Amamántalo a libre demanda, sin horarios de día y de noche vaciando un seno totalmente y alternando en la siguiente toma (el bebé y tú apenas se conocen; aún no sabes el tiempo que necesita para comer, pues es muy pequeño).
- Extrae un poco de tu leche, date masaje cuando te bañes y obtén manualmente unas gotas; esto ayuda a prevenir un congestionamiento. Puedes sacar un poco de leche con expresión manual o con bomba para suavizar el área de la areola cuando está endurecida, para que el bebé pueda prenderse al seno adecuadamente y te ayude a vaciarlo al mismo tiempo que se alimenta.
- No suspendas la lactancia. La solución es vaciar los senos.

Curación

- Date un masaje circular y de presión con ambas manos y en los dos pechos.
- Utiliza agua caliente o fomentos y extrae un poco de leche, manualmente. Si no te acomodas con las dos manos, usa una bomba manual o eléctrica para que cuando pongas al bebé al pecho, pueda tomar el pezón y extraer la leche fácilmente.
- Si tus pechos están demasiado llenos y muy duros al tacto, el bebé tendrá dificultad para empezar a succionar, y al no poder

hacerlo, va a desesperarse y a llorar. En este caso, conviene extraer un poco de leche manualmente o con bomba, hasta sentir que el pecho se ablanda. Entonces, pon el bebé a succionar para que vacíe tu seno.

- Las compresas frías contribuyen a disminuir la inflamación. También puedes usar hielo envuelto en un pañuelo.
- No es necesario llamar al médico.
- Descansa y bebe agua en abundancia.
- Amamanta frecuentemente (10 a 12 veces en 24 horas).
- Ten paciencia.

Conductos obstruidos

Cuando un conducto se tapa se siente una bolita del tamaño de un chícharo en un punto del seno y duele.

> La obstrucción puede presentarse en cualquier momento de la lactancia y es muy importante manejarla correctamente.

Causas

- Cambio de frecuencia o saltarse comidas.
- Demasiada producción de leche.
- Senos muy pesados sin soporte.
- Brasier demasiado apretado.
- Cirugía de seno.

Solución

- Masajea en la bolita en dirección al pezón mientras el bebé amamanta para ayudar a destapar el conducto.
- Extraer leche a mano o bomba después de amamantar.
- Que el bebé destape el conducto por medio de succión.
- Ofrece primero el lado lastimado, pues el pequeño succiona con mayor fuerza cuando tiene hambre.
- Aplícate fomentos de agua caliente y masaje sobre el sitio que molesta, mientras el bebé succiona.
- En la regadera, con agua caliente, masajea los senos para iniciar el reflejo de eyección de la leche.

- No dejes de amamantar.
- Descansa y bebe mucho líquido.

Mastitis

Si un conducto tapado persiste y no se atiende adecuadamente puede inflamarse e infectarse. La mujer presentará fiebre alta, escalofríos y malestar parecido a una gripe, una bolita muy dolorosa y enrojecida. Este problema requiere atención médica pronta.

Solución

- Si hay fiebre alta, consulta al médico.
- Puedes seguir amamantando, aunque estés tomando antibiótico; evita las tetraciclinas ya que podrían manchar los dientes del bebé.
- Toma antibiótico solo por indicación médica respetando los días y dosis indicada aun cuando te sientas mejor.
- Usa compresas tibias en el área afectada.
- Mucho descanso.
- Toma mucha agua.
- Masajea en el área afectada para favorecer su drenaje.

Goteo

Los senos pueden gotear cuando se desencadena el reflejo de eyección de la leche, el cual se dispara con tan solo recordar a tu bebé, escucharlo llorar o percibir un olor que te lo recuerde.

Solución

- La presión directa con las manos o los antebrazos detiene el goteo.
- No huele mal. Usa protectores desechables o de algodón, que no tengan hule.

- Nunca uses los bubus (conchas de plástico), pues provocan el goteo continuo y favorecen las grietas.

Baja producción de leche

Para lograr una adecuada producción de leche materna, debes saber que la cantidad de leche que produzcas se regula por la ley de la oferta y la demanda. Mientras más leche saque el bebé al succionar, más leche produces. Si saca poca leche, producirás poca leche.

El bebé obtendrá la leche que necesita para un adecuado crecimiento y desarrollo, si lo amamantas inmediatamente después de nacer y después frecuentemente a libre demanda. Para aumentar la cantidad de leche debes aumentar la estimulación de la succión.

Prevención

- Amamanta a libre demanda, de día y de noche, desde que el bebé nace.
- Procura el alojamiento conjunto, en la misma habitación del hospital.
- Bebe líquidos en abundancia.
- Descansa y relájate.

Solución

- Amamanta más frecuentemente al bebé. Amamanta de un solo seno para asegurarte que se vacía totalmente, lo que dará a tu cerebro la señal de producir más leche, si se queda dormido no te preocupes a la siguiente toma le das del otro lado también a vaciar.
- Extrae leche de tus senos con bomba o manualmente entre las tetadas y utiliza el suplementador.
- Evita dar agua o té al recién nacido.
- También evita el uso de chupón, para que el bebé te estimule lo suficiente succionando.
- Recuerda: a mayor demanda, mayor producción.

- En tres o cuatro días estarás produciendo la cantidad de leche que tu hijo necesita.

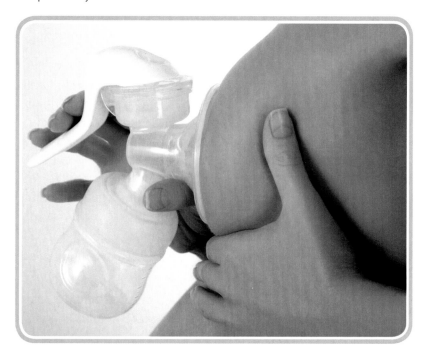

Cómo extraer la leche

Es importante prevenir que los senos tengan plétora, porque cuando están demasiado llenos se manda una señal al cerebro para que produzca menos cantidad de leche y entonces puede ser que no tengas suficiente leche para ofrecer a tu bebé. La producción de la leche se regula por la oferta y la demanda, por ello si amamantas menos veces, notarás que tu producción disminuye.

Lo mejor es que tu bebé vacíe los senos para alimentarse. Si por alguna razón requieres extraer leche, puedes hacerlo a mano o con bomba. Estas razones podrían ser:

- Cuando regresas a trabajar fuera de casa.
- Para recolectar leche para un bebé prematuro.
- Si el bebé no quiere comer por alguna enfermedad.
- Si vas a salir de viaje.
- Para aliviar la plétora.

Masaje en los senos

- Lava tus manos con agua y jabón.
- Toma unos minutos para ponerte cómoda y relajarte.
- La clave es provocar el reflejo de eyección de la leche.
- Compresas tibias.
- Con las yemas de tus dedos aplica masaje circular, del pecho hacia el pezón masajeando todo el seno.
- Al terminar inclínate hacia delante y suavemente agita tus senos para que por gravedad la leche fluya más.

Técnica de extracción manual

- Coloca tu pulgar y los dedos índice y medio aproximadamente a cuatro centímetros atrás de la areola.
- Empújalos hacia atrás, hacia la pared del pecho.
- Desliza los dedos con un poco de fuerza hacia delante para extraer la leche, hasta llegar a la areola.
- Realiza los mismos movimientos alrededor del seno para facilitar el vaciado.
- Usa un recipiente limpio y de boca ancha para recolectar la leche.
- Refrigera o congela la leche en recipiente tapado y anotando en una etiqueta la fecha.

Congelar y almacenar leche materna

Congela tu leche utilizando recipientes limpios con tapa o bolsitas de plástico especiales para leche materna, y escribe siempre la fecha. Coloca en cada bolsita de 2 a 4 onzas para evitar desperdiciarla.

Para descongelar, pon la bolsita en el chorro del agua tibia o sumérgela en un recipiente con agua calientita fuera de la estufa. Evita descongelar en horno de microondas porque puede calentar demasiado una porción y quemar la boquita del bebé. El calor puede alterar las proteínas y destruir los anticuerpos que contiene la leche materna.

Agita la botella para que las porciones de grasa y de agua se mezclen bien, la leche debe estar a temperatura ambiente; al tiempo. La leche que sobre ya no la guardes.

Leche materna	En refrigeración	En congelación
Recién extraída	Puedes guardarla de 5 a 7 días en la zona más fría de tu refrigerador. No la pongas en la puerta.	Puedes guardarla 3 o 4 meses en la parte de atrás del congelador, no la guardes en la puerta.
		Dura seis meses en congelación a más baja temperatura.
Congelada	La leche que se descongela y no se ha usado dura 24 horas en el refrigerador.	Nunca recongelar leche que sacaste para descongelar.
Para congelar	Enfría en el refrigerador antes de agregarla al recipiente en el que estás juntando leche.	Congela dentro de las 24 horas siguientes.

Congelar y almacenar tu leche será un recurso muy importante cuando tengas situaciones como las que a continuación se mencionan.

Amamantar con una cirugía de senos

La cirugía en los senos tanto de aumento o reducción con relocación de pezón puede afectar la producción de leche, sin embargo, estudios recientes muestran que algunas mujeres han lactado exitosamente a pesar de su cirugía. En caso de escasa producción, puedes usar un suplementador mientras amamantas para que el bebé reciba suficiente leche y suba de peso de forma adecuada. Consulta a una asesora calificada en lactancia.

Amamantar si tomo medicamentos

Pocos medicamentos pasan al bebé por la leche materna, por lo que debes consultar al médico para decidir cuál tomar. En caso de estricta necesidad podrías interrumpir la lactancia durante los días que dure el tratamiento y mientras extraerte la leche con bomba y tirarla para regresar a la lactancia en cuanto sea posible.

Amamantar y trabajar fuera de casa

Está bien estudiado que lo mejor para el bebé y para establecer la lactancia es permanecer con el bebé el mayor tiempo posible. Analiza las posibilidades de aplazar tu regreso al trabajo más allá de los 40 días que marca la ley. Considera reducir las horas que estés fuera de casa, tu bebé te necesita mucho, eres muy importante para su desarrollo. En las horas que estés fuera de casa extrae tu leche y refrigérala para que alguien más pueda dársela al día siguiente durante tu ausencia. Para mantener la producción, en las noches, amamanta acostada con más frecuencia.

LOS NIÑOS NOS LLEVAN A LA PERFECCIÓN

Para los bebés y los niños pequeños, los adultos somos sus modelos. Sea cual fuere la raza, el color, la cultura o la condición moral de sus padres, el niño los ama y los necesita.

De ellos aprende cómo es la vida; cada gesto, cada actitud, cada una de sus reacciones mostrarán a su hijo de qué manera relacionarse con el nuevo mundo al que ha llegado.

Tu bebé aprenderá de ti cómo hablar, cómo tratar a las personas queridas, cómo resolver un conflicto, cómo enfrentar una pena, cómo celebrar un acontecimiento, cómo ayudar a un enfermo, cómo consolar, cómo trabajar, cómo luchar por ser mejor... mientras más perfectamente lo hagas tú, más claro será para él.

El niño aprende lo que vive. No entiende los conceptos, pero en su inconsciente capta para siempre las experiencias vividas. Por ello, ser padres es desempeñar una misión digna, grande e importante que podríamos resumir en muy pocas palabras: los padres somos los maestros del amor, y la mejor escuela que el niño puede encontrar es la familia.

Aquel niño que ha conocido el amor, porque ha sido amado, podrá a su vez amar intensamente a otros porque el amor es su experiencia de vida desde que nació.

El amor es la convivencia cotidiana en la presencia y en la compañía, en el esfuerzo tenaz y consistente de hacer felices a los que nos rodean; en el saber darse cuenta incondicionalmente pensando en él, pensando en ella, pensando en los tres...

EL CUIDADO DE TU BEBÉ

Al nacer tu bebé, nacen también los orgullosos padres de un niño o una niña. Durante la primera semana son el foco de atención de sus parientes y amigos quienes les demuestran su cariño y les ayudan en todo lo que puedan necesitar en la casa. Sería muy conveniente que el papá pudiera permanecer en casa para apoyar a su esposa los primeros días.

Cuando este sistema de apoyo natural se retira, se enfrentarán juntos a los retos que implica un recién nacido en casa, y especialmente mamá tendrá mucho trabajo que realizar, lo que requiere de mucho amor, entrega y capacidad de adaptación para organizar su nueva vida.

Un bebé cambia tu vida para siempre y te transforma en mamá con todas las capacidades que esta misión tan importante requiere. Vivirás grandes retos y grandes alegrías que te enriquecerán de forma insospechada.

Ser padres es una gran misión.

El cambio de vida implica una reorganización de tus prioridades y de tu estilo de vida, ya que las necesidades del bebé recién nacido demandan gran parte del tiempo y la energía de la mamá. Necesitan planear desde el embarazo un sistema de apoyo en el que definan juntos quién se encargará de las diversas actividades requeridas en casa para que la mamá pueda dedicarse al recién nacido adecuadamente.

Es necesario que aprendan a renunciar temporalmente a algunas actividades fuera de casa como trabajo, salidas de noche y viajes de placer, para poder enfrentar los nuevos retos de su familia juntos, con alegría y con muchas ganas de ayudar. Si toman esta decisión generosamente, van a disfrutar mucho esta primera etapa en casa con su bebé recién nacido y poco a poco irán reestructurando su vida familiar.

Cuidado general

Tendrán que llevar al bebé al pediatra a revisión y a que le apliquen sus vacunas para prevenir enfermedades comunes de la niñez, según se los indique su médico.

Pueden salir de casa con el bebé a partir de los 15 o 20 días, pero eviten lugares con mucha gente y ambientes con humo de cigarro, para proteger su salud.

Peso

El peso promedio de los bebés es de 3.5 kilogramos. Los primeros días de vida el bebé baja entre 5 y 8 % de su peso y lo recupera alrededor del décimo día para continuar aumentando. Dobla su peso a los seis meses y lo triplica al año de edad.

Patrones de sueño

La mayoría de los bebés necesitan comer cada 2 o 3 horas de día y de noche durante las primeras 6 a 8 semanas, y poco a poco espaciará sus alimentos y tendrá periodos más largos de sueño en las noches. Es conveniente que mamá duerma mientras el bebé duerme para que pueda tener suficiente descanso y que de noche lo amamante acostada. Cada bebé es distinto y solo la mamá irá aprendiendo cómo es su patrón de sueño particular. Es normal que el bebé despierte durante la noche en el transcurso de su primer año de vida.

Para dormir acuesta a tu bebé bocarriba o de lado, ya que acostarlo bocabajo se ha asociado con una mayor incidencia de muerte de cuna.

Dentición

La mayoría de los bebés inician la dentición entre los 6 y 8 meses, pero algunos lo hacen entre los 2 y 4 meses. A veces esto les molesta mucho porque les duele la encía y tienen diarrea, mucha salivación y se despiertan más de lo usual. Las mordederas de hule y las congeladas les ayudan a mitigar las molestias.

Cambio de pañal

Los bebés tienen cambios normales en el número, color y consistencia de sus evacuaciones. Las primeras evacuaciones son meconio durante 2 a 3 días, el color es negro y la consistencia espesa y pegajosa, ayuda mucho retirarlo con vaselina.

A partir del tercer día, notarás un gran cambio de color y consistencia. Durante las primeras semanas, tu bebé puede evacuar una vez al día o tan frecuente como con cada tetada, de color amarillo o verde, con moco, con consistencia líquida o pastosa y, en ocasiones, hasta explosiva. Todo esto es normal.

Los bebés alimentados al seno materno evacuan de color variable; amarillo verde claro, café claro, mostaza con consistencia algo líquida. Pueden evacuar de 6 a 8 veces al día y también hacerlo cada tercer día. Si está tranquilo, come y duerme bien, no te preocupes.

El estreñimiento en el bebé está dado por la consistencia de la evacuación dura y firme. Los bebés frecuentemente gruñen, hacen esfuerzo y se les enrojece la cara al evacuar normalmente y esto no indica que estén estreñidos. La diarrea se caracteriza por evacuaciones frecuentes y con exceso de agua.

Rozadura de pañal

Para prevenirla cambia al bebé cada vez que evacúe y lávalo con agua y jabón. Si su piel se ve enrojecida utiliza alguna pomada que contenga óxido de cinc para rozaduras. Puedes dejarlo un ratito sin pañal diariamente para prevenir rozaduras.

Cuidado de la piel del bebé

Los bebés pueden tener la piel un poco seca y se despellejan, se puede usar alguna crema humectante para bebé. A veces tienen granitos en la cara que poco a poco se les desvanecen. No requieren ningún tratamiento. El baño diario es más que suficiente.

> Cada pareja imprime su propio sello en la crianza de sus hijos.

Es importante exponer a tu bebé al sol para favorecer la vitamina D y la salud de sus huesos. Debes hacerlo con precaución pues su piel es muy delicada; cinco minutos en pañal y playera o 20 minutos vestido. Si tu bebé tiene hipo, puedes ofrecerle el pecho o cubrirlo más para que se le quite.

El baño del bebé

La llegada del bebé a casa es un gran evento familiar y todos quieren estar presentes así como dar consejos sobre cómo bañarlo y atenderlo. Cada familia tiene sus propias costumbres y tradiciones que suelen pasar de una generación a otra para apoyar a los nuevos papás. Muy pronto se sentirán seguros y confiados para bañar a su bebé y descubrirán en la práctica lo que más les acomoda. Para que la higiene del bebé sea adecuada deben bañarlo diariamente a la hora que más les convenga y procurando que sea una actividad de convivencia agradable con él.

- Elijan un lugar adecuado en la casa para bañar al bebé en una tina de plástico.
- Antes de bañarlo, tengan todo lo necesario así como la ropa que van a ponerle. Nunca dejen al bebé solo sin atención en una superficie alta porque puede caerse.
- El agua debe estar calientita y agradable para el bebé, antes de meter al bebé a la tina, tóquenla sumergiendo la mano y parte del brazo en la tina para asegurarse que no esté demasiado caliente.

- Acuesta al bebé sobre una toalla y desvístelo, empezando por el pañal, si está sucio límpialo antes de meterlo a la tina.
- Súbete las mangas de la camisa y quítate el reloj y las pulseras.
- Sostén al bebé de modo que su cabecita se apoye en tu brazo y tu mano lo sujete de una piernita, y revisa que el agua le cubra el abdomen para que no se enfríe.
- Lava con jabón primero la cara y la cabecita para enjuagarlas cuando el agua está más limpia. Cuando tenga suficiente pelo usa un champú para bebé.
- Continúa lavando las demás partes de su cuerpo limpiándole bien todos los pliegues, especialmente de los genitales y enjuágalo.
- Si el bebé está llorando, báñalo aprisa para molestarlo lo menos posible.
- Cuando se le caiga el cordón, si el bebé está contento permítele jugar un rato, pues el baño puede ser una experiencia muy buena para aprender mucho a través del tacto y para interactuar y convivir. Platícale de todo lo que está sucediendo mientras lo bañas y lo vistes.
- Envuélvelo completamente en la toalla y sécalo perfectamente.
- El cordón se irá secando poco a poco y se desprenderá como una costra espontáneamente entre la primera y la cuarta semana de vida, aplícale Merthiolate blanco o alcohol con un poco de algodón después del baño y cada vez que lo cambies. Si observas en el área del ombligo enrojecimiento, secreción con mal olor y fiebre, consulta al pediatra.
- Vístelo empezando por el pañal y ponle ropa cómoda, preferentemente de tela de punto de algodón.

Circuncisión

Es una cirugía por medio de la cual se retira el prepucio que cubre la cabeza del pene del bebé. Se hace por razones culturales, religiosas y familiares generalmente.

Se realiza con analgesia y sana rápidamente, requiere lavarse con agua tibia, se le aplica vaselina y se cubre con una gasa los primeros días.

No todos los bebés la requieren, por lo que los padres deben comentar con el pediatra las ventajas y desventajas para su bebé en concreto ya que los beneficios en general no son significativos como para realizarla de forma rutinaria.

Si el bebé no fue circuncidado, no debe forzarse hacia atrás la piel del prepucio, esto sucederá poco a poco y podrá retraerse por completo hasta que el niño tenga 3 o 4 años.

Ictericia fisiológica

Es muy común que la piel y los ojos del bebé recién nacido se pongan amarillos, por causa de bilirrubinas. Los bebés tienen glóbulos rojos de reserva para el nacimiento y al desdoblarse resultan las bilirrubinas las cuales se transfieren a la sangre y se almacenan en la piel hasta que el hígado las desdoble. El hígado del bebé está completamente desarrollado pero no es 100% eficiente todavía.

A esto se le llama ictericia fisiológica y no tiene riesgo para el bebé, generalmente se resuelve sin ningún tratamiento dentro de la primera semana de vida.

La ictericia puede ser peligrosa y causar daño cerebral permanente, si el nivel de bilirrubinas se eleva demasiado. El médico debe monitorear estos niveles y dar tratamiento oportuno si fuese necesario. La fototerapia vendando los ojos del bebé se usa mucho para tratar estos casos. En casos muy severos se realizan transfusiones para cambiar su sangre.

Cómo tomar la temperatura al bebé

Siempre que consultes al médico te preguntará la temperatura del bebé, asegúrate de tomársela antes de llamarle. Puedes ponerle el termómetro normal en la axila, en el recto o en el oído.

Recomendaciones para la seguridad del bebé

- Nunca metas nada en la nariz del bebé, ni en las orejas porque puedes lastimarle el tímpano.

- Si el bebé tiene las uñas largas, córtaselas con unas tijeritas o con un cortauñas para bebé, para evitar que se rasguñe la carita.
- Evita cargar al bebé mientras cocinas, puede quemarse.
- También evita el cigarro, las cenizas pueden quemar su piel y el ambiente con humo también puede dañar sus pulmones.
- Cuando des baños de sol, que sean solo unos cuantos minutos, puede lastimarse su piel si se le expone al sol demasiado tiempo.
- Nunca sacudas al bebé ni lo lances al aire jugando. Si el bebé está llorando mucho y tú te sientes cansada, enojada o frustrada, contrólate y evita sacudir al bebé con fuerza, pues puedes causarle daño cerebral, ceguera y hasta la muerte.
- Protege siempre la cabeza de tu bebé de movimientos violentos.
- Nunca dejes solo al bebé en una cama, mesa o superficie de la que pueda caerse, lastimarse o romperse un hueso.
- Para dormir de noche y para las siestas durante el día, acuesta al bebé bocarriba sobre su espalda. Hay estudios serios que han demostrado que aumentan los casos de muerte de cuna cuando a los bebés se les acuesta a dormir bocabajo sobre su estómago. Cuando esté despierto el bebé, puedes ponerlo sobre su estómago para que experimente otra posición y ejercite su espalda y sus hombros.
- El colchón del bebé debe ser firme. Sin sábanas sueltas, almohadas, peluches ni colchas que puedan tapar su cara e impedirle respirar adecuadamente.
- No le tapes la cara al bebé para dormir, solo pon la sábana de resorte abajo. En caso de querer taparlo con cobertor, verifica que le llegue únicamente hasta el pecho, y del lado de los pies debe estar bien metido abajo del colchón para que el bebé no pueda jalarlo y taparse la cara.
- Asegúrate de que el bebé no esté demasiado caliente para dormir, la temperatura del cuarto debe ser agradable para cualquier adulto y al bebé debes vestirlo con tanta ropa como tú te pondrías.
- Puedes acostar al bebé en tu misma cama y amamantarlo acostada, siempre y cuando no fumes, no ingieras alcohol ni drogas que puedan alterar tu estado de alerta para atender al bebé. Otra opción recomendable es colocar la cunita cerca de tu cama para tener al bebé muy cerca y se promueva el contacto y la lactancia materna.

PRIMEROS LÍMITES

Ana María Serrano de Akle
Fundadora del Proyecto DEI

La respuesta cálida y afectuosa va dando al pequeño la certeza de que el mundo le responde y, por tanto, debe confiar en él. Su ambiente se vuelve predecible y las muestras de afecto de las personas que lo rodean le brindan estructura a su personalidad, que le permitirá más tarde desarrollarse mental y afectivamente.

Los pequeños criados en orfanatos, por ejemplo, suelen presentar desde los dos meses conductas evasivas; no ríen ni exploran tanto como los bebés que se desenvuelven en lugares cálidos.

El bebé necesita de los adultos para el establecimiento de sus primeros límites; por ejemplo, la diferencia entre el día y la noche. Así, durante el día nos presentamos cálidos y estimulantes, mientras que de noche lo alimentamos sin hablarle, sin mirarlo a los ojos, sin prender la luz.

Otros límites pueden ser que, en el automóvil, viaje en su silla y no en los brazos de alguien; y que existan momentos en los cuales se tenga que entretener solo. Todo esto irá dando estructura a su aprendizaje y al desarrollo de su personalidad. Enviarle mensajes claros respecto a estas pequeñas reglas es el cimiento de lo que después, en la infancia, será una disciplina más formal.

Debemos recordar que no hay padres perfectos. Lo que más se acerca al ideal es el padre afectuoso, sensible a las necesidades del pequeño y que, como todos en este mundo, es alguien que también comete errores pero que se esfuerza siempre por ser mejor.

Estímulos en el hogar

¿Cómo aprende el bebé?

Es muy fácil inventar estímulos sensoriales, que ayudarán al cerebro del bebé a tener elementos para diferenciar y diferenciarse del mundo que lo rodea.

Otra fuente que nutre el cerebro del bebé con imágenes, es su propia acción. Observaremos que si el bebé de dos o tres meses hace rechinar un papel celofán al manotear, se asombra y volverá a hacerlo esperando el resultado.

Cuando adquiera una mayor habilidad manual, podrá hacer sonar campanitas o tirar cordones y verá, fascinado, lo que resulta. Este es el embrión de la idea posterior de causa-efecto. El adulto puede facilitar la aparición de estas reacciones en el bebé, rodeándolo de mecanismos que pueden activarse y verbalizando el resultado ("¿viste cómo se mueve la pelota? ¡Hazlo otra vez!") así como estructurándole una rutina que le permita la asociación de eventos y la predicción.

¿Cuánto y cómo estimularlo?

No se trata de abrumar al bebé, de pintar su cuarto con franjas de colores, de comprarle cientos de juguetes ni de tener música permanente.

En estos casos la estimulación es exagerada: el bebé se bloquea y quizá termine llorando.

Se requieren momentos de paz y sosiego, para poder extraer los beneficios. El momento ideal para estimularlo es cuando el bebé está tranquilo, alerta y no necesita alimentarse o dormir.

El desarrollo de tu bebé durante su primer año de vida

Estímulos y apoyos en el hogar

¿Cómo aprende el bebé? El bebé empieza a sentirse totalmente integrado con la madre al ir diferenciándose poco a poco de ella y al identificar las cosas que lo rodean.

Este proceso es lento y muy interesante, ya que abre a los padres la posibilidad de apoyar el aprendizaje de su niño y disfrutarlo más.

A continuación analizaremos algunos aspectos que pueden orientarnos en la interacción con el bebé. El cerebro del niño pequeño se nutre de información a través de los cinco sentidos:

Vista. El bebé se interesa por las caras, así como por los colores brillantes.

Oído. Muestra diferentes reacciones ante la música suave, el tic-tac del reloj o la voz. Relacionado con este sentido está el sentido del equilibrio, ubicado en el oído medio. Por ello el bebé se muestra sensible ante movimientos suaves, rítmicos o cambios de posición.

Olfato. El bebé reconoce a su madre a través del olfato.

Gusto. Además de la leche, y asociado con el sentido del tacto, el bebé explorará bucalmente. Esta exploración es importante pues recorre un canal neurológico entre la boca y el cerebro ya establecido.

Tacto. El bebé mostrará gran sensibilidad ante estímulos táctiles como un masaje, la sensación que proporciona el agua, contacto con diferentes texturas, etcétera. Como podemos advertir, es muy fácil inventar estímulos sensoriales que ayudarán al cerebro del bebé a tener elementos para diferenciar y, a la vez, diferenciarse del mundo circundante.

Un nuevo hermanito

La llegada de un bebé al hogar implica un reajuste familiar. Es necesario prever este acontecimiento y preparar al hermanito mayor. La preparación implica avisos y ajuste de expectativas para suavizar el cambio. Será distinto el modo entre preparar a un hermanito de 1 a 2 años y medio, y a un preescolar de 3 a 7 años. Para cada edad, deben considerarse ciertos aspectos de desarrollo y mentalidad.

Actualmente, en la mayoría de los casos, nuestros hijos tendrán uno o dos hermanos y nos interesa que su relación sea lo más armoniosa posible, dentro de lo que sus temperamentos les permitan. En épocas pasadas nadie "preparaba" a los niños para la llegada de sus hermanitos; sin embargo, las dinámicas familiares eran muy diferentes, ya que la distancia era mínima entre un hermano y el siguiente; había más apoyo de la familia extensa para conservarle el entorno intacto a los hermanos, y los celos (viejos como la historia) se diluían entre varios de ellos. Para prepararnos mejor, conviene recordar algunos aspectos.

Cambios consecuentes al nacimiento

Con la llegada del nuevo hermanito, el niño vive un cambio de actitud hacia él por más cuidado que pongamos en que esto no suceda, hay un periodo de reajuste del tiempo, convivencia y atención a los distintos miembros de la familia. "Ya no me quieren, o me quieren menos", piensa el hermanito mayor. Su razonamiento, todavía inmaduro, asocia los acontecimientos que ocurren simultáneamente como si uno fuera causa del otro (razonamiento transductivo infantil). Su asociación es muy sencilla y hasta cierto punto, lógica: "Me atienden de manera diferente; a este bebé le dan todos los cuidados: es necesario mostrar sus características para que me atiendan o para recuperar mi lugar". Es lógico que muestren regresiones: si ya caminaban, gatean, si ya controlaban esfínteres, lo dejan de hacer; si ya hablaban bien, tienden a balbucear, etcétera.

A veces es muy sutil, pero lo que antes hubiera sido tolerado, ahora, con la presencia de un bebé, nos deja de parecer gracioso o "propio" de un niño grande.

Hagamos un sencillo ejercicio: observemos a familiares que pasean por lugares públicos con un nuevo niño y con un "hermanito mayor" (en ocasiones, el hermanito mayor es un bebé de 11 meses):

- ¿Qué actitud observamos en los papás?
- ¿Con qué palabras se dirigen al hijo mayor?
- ¿Cómo se organizan para atender a los dos niños?

Desde luego que hay excepciones, pero normalmente la familia está aprendiendo a cuidar a un bebé nuevo. Esto tiende a reflejarse en un cambio de trato hacia el "grande". No hay tanta tolerancia hacia él como la había cuando era el "único". Frases como "cállate, ya estás grande", "quédate quieto", etcétera, pueden pasar inadvertidas para nosotros, pero no para el niño.

Este cuadro empeora con las conductas regresivas que muestra el "mayor" y que tienden a desesperar aún más al adulto que lo cuida.

A pesar de todo, al niño casi siempre le será benéfica la presencia de un hermano. Gracias a ello, recibe una lección vivenciada de que él no es el centro del universo. Esta penosa pero importante circunstancia se asimilará de manera cotidiana. Los papás de niños únicos necesitan trasmitir este mensaje con más esfuerzo de su parte. Resulta básico que el niño descubra que no es el centro del universo, tanto para la convivencia social como para procesos mentales de objetivación. Un hermanito enseña que hay que compartir, y también, que hay que luchar porque se respete su espacio vital, así como la competencia y la rivalidad natural entre iguales. Así es la vida.

Lo ideal sería prepararnos todos para que la experiencia sea lo más positiva posible.

Sentimientos del niño antes y después del nacimiento de un hermanito

Los celos

En este tema conviene retomar un argumento muy convincente que desarrolla Penélope Leach:

Imagínense que su pareja les anunciara: "Me gustas tanto que quiero otra como tú. Con ella compartirás mi tiempo, mi atención y tus cosas". "Vas a enseñarle la rutina diaria y le vas a ayudar en todo, pues tienes más experiencia". Obviamente, no sentimos la necesidad de "otra" persona con la cual convivir en casa ni con quien compartir tantas cosas entrañables. Tampoco el niño mayor.

Él no siente la necesidad de un hermanito. Su situación es ideal. Su egocentrismo está totalmente satisfecho con una pareja de papás que lo cuidan y atienden. Sencillamente, no puede imaginar esa "situación".

Según Leach, no debemos esperar que el niño comparta anticipadamente nuestro deseo de un nuevo hijo. Más bien, debemos prepararlo para que sea lo más tolerante posible en el corto plazo y, desde luego, extraer los aspectos positivos en el mediano plazo.

Por otro lado, es muy sano hacernos a la idea de que los "celos" son normales y, por tanto, debemos esperarlos en mayor o menor medida.

Clímax de los celos

Es un mito afirmar que los celos llegan a su apogeo a la llegada del hospital, y que de ahí en adelante empiecen a disminuir. En realidad, los celos son cíclicos y nos sorprenden, en forma recurrente cuando menos lo esperamos. La razón es que se vuelven más agudos en función de la sombra que le hacen al niño (de la necesidad de desplazar). Es decir, podemos esperar muchos celos al principio debido al ajuste familiar, y después quizá se reduzcan, cuando el chico comprueba que el bebé no sabe hacer muchas cosas que él sí sabe y que duerme mucho. Sin embargo, cuando ese pequeño invasor empieza a hacer sus gracias y a robar corazones, hay otros destrozados. Si le contamos al niño mayorcito que él empezó a hablar muy pronto y para su desgracia, el segundo bebé también lo hace puede ser trágico, ya que aquel ve "tambalear" su posición relativa.

De los 10 a los 24 meses del invasor, suele haber graves "ataques" de celos, ya que los bebés son sumamente graciosos y, por lo mismo, quitan mucha de la atención que la familia brindaba al niño mayor. En este aspecto no hay leyes fijas. Todo depende del balance de temperamentos entre los dos o más niños y como dijimos, de la necesidad que estén desplazando.

Un niño celoso a cualquier edad tiende a "arrebatar" la atención y a portarse mal. Desde luego, no debemos pasar por alto la conducta negativa por "compasión", pues haremos todavía más infeliz al niño grande. Lo debemos reprimir, pero paralelamente debemos "leer" su tristeza y dedicarle un ratito de juego "incondicional" o de atención especial. Cada papá (o mamá) sabe cómo decir: "Me importas", aun sin pronunciar estas palabras.

Nuria González, escritora de cuentos infantiles, publicó un librito bellísimo titulado *Y Rafa se vuelve invisible* (Libros del Rincón, SEP). En él describe cómo Rafa, mágicamente, se vuelve invisible cuando nace su hermanita, desde luego que simbolizando su sentimiento. Sufre mucho con esto, pero logra reaparecer gracias a un acto de cariño de su papá.

Los celos no son racionales, son viscerales. No podemos, con palabras, convencer a un niño de que nos importa y de que lo queremos; debemos hacerlo con afecto y convivencia, guardando la convicción de que por más que hagamos no se irán, por un lado y, por otro, los niños aprenden mucho de los hermanos.

Cada niño es un milagro, producto de millones de probabilidades genéticas en juego. Por lo mismo, no es comparable, es único e irrepetible.

Hay que evitar los calificativos hasta donde sea posible, y darle a entender al niño que es muy diferente de su hermanito y que a cada uno de ellos se les quiere y acepta tal como son. Muchas veces calificamos o valoramos a los niños de manera implícita, y de este modo generamos rivalidades innecesarias.

Es muy importante evitar esta actitud, a cualquier edad. Recordemos que algunas familias no han podido liberar a cada uno de los hermanos de calificativos que pueden llegar a convertirse en "prisiones".

Estrategias de preparación para recibir al nuevo hermanito

Cualquiera que sea la edad del hermano mayor, se le debe preparar en varios aspectos:

a) Que le quede clara su situación durante el nacimiento del bebé (dónde va a dormir, quién va a ir a buscarlo a la escuela, quién le va a dar de comer, etc.).

b) Qué esperar del hermanito. No debemos decirle: "Vas a tener un hermanito que jugará contigo", porque visualizará a un niño de su edad que juega exactamente a lo mismo. Los niños sufren una gran desilusión al comprobar que en vez de ese compañero, aterriza un bebé llorón y demandante.

c) Tratar de que su rutina y cuidados básicos se mantengan intactos.

d) Destinarle ratos para llevar a cabo actividades "de grandes".

e) Incluirlo en la rutina (no ahuyentarlo).

f) Decirle: "El bebé no sabe esperar. Yo sé que es injusto, pero él no puede entender si le digo 'espérame'" (Leach).

g) Decirle: "Le gustas", "mira cómo te ve"… Según Leach, si el niño siente que le simpatiza a su hermanito, podrá aceptarlo con más facilidad, y de hecho, al bebé le llamará enormemente la atención la carita de su hermano así como su voz aguda.

h) Cuidar al menor de ser agredido por el mayor, pues el hermano grande se sentirá muy culpable si encuentra la ocasión de dar rienda suelta a sus sentimientos.

i) Contarle que cuando él era bebé, recibía los mismos cuidados y las atenciones que ahora se le prodigan a su hermanito. Incluso conviene mostrarle fotos de esas escenas.

j) En ocasiones, sirve que el hermanito tenga un muñeco bebé, juegue y deje fluir con él sus sentimientos.

k) Ver con naturalidad cierta "regresión". Desde luego, no debe ser premiada ni favorecida. Hay que procurar que en la casa valga más la pena ser más "grande" que ser bebé. Si el hermanito insiste y muestra estas conductas con frecuencia, ustedes pueden hacerle sentir las consecuencias de ser bebé (por ejemplo, perder privilegios tales como dormirse más tarde, etcétera).

Estos consejos son útiles para niños de cualquier edad; sin embargo, es muy distinto ponerlos en práctica con un hermanito de uno a dos años y medio, con el de 3 a 6 o 7 años de edad.

Preparación de hermanitos de uno a dos años y medio

No hay intervalo ideal entre un hermano y el siguiente, ya que cada uno de ellos tiene sus beneficios y sus complicaciones específicas. Cuando los niños son muy seguiditos, tenemos el beneficio de que el "reinado" no ha sido muy largo y, por lo mismo, no les duele tanto el desplazamiento. Sin embargo, en estos casos el hermanito mayor suele estar atravesando por una etapa normal en el desarrollo, que es la "mamitis", o ansiedad de separación y "miedo al extraño", lo cual implica ciertas dificultades de estrategia y preparación.

De los 8 a los 24 o 30 meses; ansiedad de separación ("mamitis")

Un bebé de 8 meses ya ha comprobado mediante su experiencia diaria que sus cuidados y atención derivan de una persona o personas y dependen de un contexto, una rutina y un panorama visual. Esto hace que manifieste conductas de apego a personas importantes para ellos, a objetos y a lugares. Por otro lado, su mente no está lo bastante madura como para poder predecir qué será de él si esta rutina o estas personas cambian. Su idea de tiempo y permanencia del objeto son muy pobres. Es por eso que los bebés lloran tanto cuando su mamá, papá o cuidador importante los deja, como si sintieran que nada garantiza su regreso. Esta es una etapa algo incómoda, pues aparentemente no podemos separarnos de los niños. Sin embargo, la incomodidad se compensa con el hecho de que los pequeños ya demuestran que han dado un paso muy importante: han establecido un lazo afectivo con alguien que nutrirá su personalidad para toda la vida.

En esta etapa no se trata de cargar a los niños en brazos, sino de:

1. Avisarles cuándo nos vamos y cuándo va a haber un cambio en su rutina, pero destacando nuestro regreso.

2. Procurar que cuando los dejemos, sea con personas conocidas. De no ser así, debemos darles la oportunidad de que se vayan acostumbrando a estar con ciertas personas y en lugares alternativos, con nuestra ayuda, apoyo y aviso.

Si en medio de esta situación llega otro bebé, ¿cómo prepararlo?

Avisos

A partir de los 10 meses, el niño empieza a interesarse y a interpretar imágenes de cosas conocidas. Esto puede ser un enorme recurso explicativo.

El bebé comienza a reconocer y a relacionar fotografías y escenas de gente y lugares conocidos. De esta forma, podemos explicarle –con imágenes– dónde y con quién se va a quedar cuando nos vayamos al hospital, qué rutina tendrá con este cuidador alternativo ("vas a jugar en tu bañera, vas a bañar al oso"…). También mediante imágenes podemos hablarle de nuestro regreso, de nuestra llegada a casa con un bebé "llorón y que no sabe esperar", etc. Estas imágenes pueden ser fotos con los "artistas reales" en escena, tomadas deliberadamente. Pero también podemos escogerlas en revistas o libros.

Si el chico está muy acostumbrado a quedarse en situaciones parecidas con este cuidador alternativo, la explicación es más sencilla. En todos los casos, mientras más pequeños sean los niños, más realistas y cercanas a su experiencia deben ser las imágenes, para que realmente les sirvan.

Por otro lado, se debe prever y explicar al niño los cuidados que se le prodigarán mientras su mamá esté en el hospital, en dónde va a dormir, quién le va a dar de comer, etcétera.

Otra posibilidad explicativa para los pequeños de esta edad es el manejo de animalitos que "lo representen". Se trata de un pequeño teatro, de una "pantomima recurrente". Es decir, con un osito, por ejemplo, debemos, reproducir con mímica y gestos lo que el niño va a vivir: "Capufás el oso, va a tener un hermanito y su mamá se va a ir al hospital. Al principio Capufás se queda triste, pero viene su abuelita, la gran osa y lo consuela: le trae unas galletitas y se lo lleva a jugar (debemos procurar que suceda lo que se le promete). Después de 'varias dormidas', llega la mamá osa con un osito muy llorón. ¿Cómo crees que llora? El osito solo come y duerme, y le gusta mucho a su hermanito Capufás…''.

Esta mímica, realizada varias veces, puede ir preparando al niño. Ayudará enormemente a todos los miembros de la familia. Mientras más conocido sea el entorno en el cual dejemos al niño, y cuanto más cercanos estén con sus cosas queridas, más fácil será este periodo.

Podemos hacer un gran calendario gráfico en el cual le dibujemos las escenas, marcando los días y las "dormidas" que faltan, con elementos de su rutina que vaya reconociendo y, finalmente, con los días que estará separado de su mamá, terminando en el día en que llegarán de nuevo a casa.

La edad preescolar

Un niño en edad preescolar (3 a 6 o 7 años) en esencia, requiere de lo mismo, pero los recursos serán adaptados a su edad. Desde luego, él ya no muestra "mamitis" o ansiedad de separación. Por tanto, no tendremos que hacerle el "teatrito" o la "pantomima" repetitiva, ni tomar fotos expresamente para explicarle.

En este caso, también se pueden usar imágenes: futuras mamás en un consultorio médico, acompañadas de sus niños preescolares; una familia que llega del hospital con el nuevo bebé, los regalos, la abuela, etc.; los cuidados que se le darán al bebé con la participación del preescolar.

El niño en esta edad también se beneficia mucho si se le dan explicaciones verbales, se hacen visitas a otras familias que tengan un bebé. La idea del calendario temporal gráfico es, incluso, más apropiada para niños preescolares, pues tienen mayores posibilidades de interpretación. En esencia, buscamos que el niño prepare recursos adaptativos y, por tanto, que se ajuste y extraiga lo positivo de la experiencia.

En este caso, el recurso del muñequito que será "su bebé" también es útil. A veces ayuda el que haya un "regalito". Hay que cuidar la frase que decimos: "Te queremos tanto, que tus papás te felicitamos por tu nuevo bebé y aquí está tu regalo", en vez de "tu hermanito te trajo esto". Un preescolar quedó totalmente confundido con esta frase y dijo: "Mamá, pero, ¿cómo te cupo el tren en la panza?".

El lazo afectivo se fortalece y facilita con el contacto físico en los primeros días de vida de los bebés. Budín, el creador de la incubadora, afirmó que cuando se separaba, por un largo periodo, a la mamá del recién nacido, se entorpecía el interés y la disponibilidad de la madre hacia el bebé (desde luego, esto se podía compensar, pero con un esfuerzo decidido de la mamá).

Muchas veces entorpecemos el potencial lazo afectivo entre hermanos al impedir al mayorcito que toque al bebé. Quisiéramos que el niño mayor se esfumara y con esto estamos dificultando algo que, por otro lado, deseamos intensamente: que se fortalezca el lazo afectivo entre los hermanos. Estas experiencias nos indican que es recomendable que los hermanitos puedan (desde luego con las manitas limpias) tocar, ayudar a bañar, masajear, etc., a los bebés.

El hermano como fuente de estimulación

Aun sin nuestra ayuda intencionada, un hermanito es una rica fuente de estimulación. Por su voz aguda, por su carita, por lo que ocasionalmente le enseñará al más pequeño. No es casual que a los "segundos" se les "note" la presencia de los hermanos.

Hay algunos niños que disfrutan mucho el poder manejar y usar información. Con estos preescolares y escolares podemos ofrecer información acerca del desarrollo mensual del bebé, dándoles así la oportunidad de involucrarse y participar. Por ejemplo:

Primer mes: "Tu bebé se interesa mucho en las caras y en los colores azul y rojo. Le gusta la voz aguda, como la tuya, mucho más que la de la gente grande. No me vas a creer, pero muchas personas no saben que ellos ven tan bien. Ponte muy cerquita. Vamos a hacer la prueba"."A tu bebé le encanta que lo mezamos despacito, con canciones y música, además, le gusta el masajito".

Le podemos hacer una fichita gráfica mes por mes, para que el niño vaya manejando los datos.

A los niños más grandes pueden narrarles cuentos fantásticos que incluyan "celos" o "pérdida de algún paraíso", desde luego que con un final feliz.

Según Bettelheim, esto ayudará al pequeño a descansar sus ambivalencias y sentimientos negativos en el cuento en que se castiga a los malos, conservando intacta su autoestima, recibiendo energía para encaminar y ordenar sus sentimientos. De este modo, lidiará mejor con la realidad. Por supuesto, los cuentos no solucionan el problema, pero proporcionan energía afectiva.

Todo lo que mencionamos como preparación para la llegada del bebé, puede parecer excesivo para algunos niños y poco para otros. Sin embargo, la idea principal es la misma: los niños necesitan preparación y también recibir este mensaje: "Sigues siendo muy importante para nosotros". Cada familia decidirá lo más conveniente pero, en todos los casos, es necesario evitar:

a) Desatenderlo drásticamente.
b) Calificarlo negativamente.
c) Quitarle repentinamente privilegios.
d) No permitirle que se relacione con el bebé.

No nos asombremos si, en estos casos, los hermanos crecen con una gran rivalidad.

Sugerencias para apoyar al hermano mayor

Actividad	1 a 2 años y medio	Preescolar
Aviso: dónde va a dormir, quién lo va a cuidar, etcétera.	• Fotos, procurando que la persona que cuida al niño sea conocida. • Imágenes, pantomima con ositos y calendario grande, si es necesario.	• Aviso verbal y por medio de imágenes. Calendario gráfico.
¿Qué esperar del hermanito?	• Descripción, fotos, visitas a hospitales, evitar decir "va a jugar contigo".	• Descripción, fotos, visitas a hospitales, evitar decir "va a jugar contigo".
Rutina y cuidados	• Cuidar que queden lo más intactos posible. • Evitar la coincidencia con la entrada al kínder por primera vez.	• Cuidar que queden lo más intactos posible. • Evitar la coincidencia con la entrada al kínder por primera vez.
Destinar ratitos a actividades de "grandes"	• El papá puede ayudar mucho (Penélope Leach).	• El papá puede ayudar mucho (Penélope Leach). • Conservar reglas muy claras.

Sugerencias (*Continuación*).

Actividad	1 a 2 años y medio	Preescolar
Incluirlo en la rutina, no ahuyentarlo	• Dejar que toque y tome en brazos al bebé. • Verbalizarles cuánto le gustan al bebé, permitir que lo estimulen con **vigilancia**. • Que manejen un muñequito y hagan la misma rutina.	• Dejar que toque y tome en brazos al bebé. • Verbalizarles cuánto le gustan al bebé, permitir que lo estimulen con **vigilancia**. • Que manejen un muñequito y hagan la misma rutina.
Verbalizarle: verbalización y apoyo con pequeñas historias de animalitos en situaciones similares	• "El bebé no sabe esperar". • "Yo sé que sientes que es injusto, pero tú sí sabes esperar y hacer otras cosas interesantes de niño más grande".	• Cuentos fantásticos con elementos como: buenos, malos, celos, luchas, final claro y muy feliz.
Precaución	• Observar cómo el bebé se interesa. • Decirle: "Mira cómo con su cara y con su voz nos dice que le gustas". • El niño mayorcito se sentirá muy halagado con esta distinción. • Cuidar al menor de ser agredido. • Contarle de cuando él era bebé y recibía los mismos cuidados. • Mostrarle fotos y expresar la emoción que todos sintieron cuando nació..	
Regresiones		• Ver con naturalidad una cierta regresión. Sin embargo, no premiarla: que valga más la pena ser grande.
Regalo		• Regalito de festejo por haber tenido un hermano.

Glosario

Puedes consultar términos con más detalle en este capítulo.

Alumbramiento: Tercera etapa del trabajo de parto o expulsión de la placenta.

Amniocentesis: Prueba que se hace retirando el líquido amniótico y mediante la cual se determina la edad fetal y la composición genética.

Amniótico (líquido): Agua contenida en las membranas y que sirve de soporte al bebé; le permite el movimiento, lo previene de sentir calor y absorbe los impactos.

Amniotomía: Maniobra médica utilizada para romper artificialmente la bolsa de las aguas (membranas).

Analgésicos: Drogas que ayudan a reducir el dolor sin causar inconsciencia.

Ano: Salida del recto localizada directamente detrás del introito de la vagina.

Areola: Parte oscura y circular que rodea el pezón del seno.

Borramiento: Adelgazamiento y acortamiento del cérvix o cuello uterino.

Braxton Hicks (contracciones): Contracción intermitente del embarazo, que prepara al útero para la labor de parto.

Centímetros: Unidad de medición utilizada para evaluar el proceso de dilatación del cérvix (cuello uterino).

Cérvix: Estrecha abertura en la parte baja del útero (cuello uterino).

Cesárea: Nacimiento del bebé a través del abdomen, quirúrgicamente.

Cóccix: Hueso pequeño situado al final de la columna vertebral.

Completa: Indica que la dilatación del cérvix (cuello uterino) se ha completado. Una mujer está completa cuando el cérvix se encuentra lo suficientemente dilatado para que el bebé pueda salir. Normal: 10 centímetros.

Contracción: Tensión y acortamiento de los músculos uterinos durante la labor, que causa el borramiento y la dilatación del cérvix. Además, contribuye al descenso y salida del bebé.

Coronando: Aparición de la cabeza del bebé, por la vagina, en la segunda etapa del trabajo de parto.

Cuello: Parte baja y estrecha del útero (cérvix).

Dilatación: Abertura gradual del cérvix que permite la salida y el paso del bebé. El progreso de la dilatación se mide estimando el diámetro de la abertura del cérvix, en centímetros.

Diástasis: Separación de los músculos rectos del abdomen.

Educadora perinatal: Profesional de la salud que educa a las parejas que esperan un hijo, en el proceso de parto y crianza del bebé.

Effleurage: Masaje ligero con las yemas de los dedos en el abdomen bajo, muslos o caderas.

Encajado: Es cuando la parte presentada del bebé, se ha metido por la entrada superior del canal de la pelvis. La madre nota a su bebé más bajo y puede respirar más fácilmente.

Episiotomía: Incisión en el periné entre la apertura vaginal y el ano, anterior al nacimiento del bebé, para facilitar su paso ensanchando la salida. Se efectúa básicamente para acortar la segunda etapa del trabajo de parto y para sustituir un posible desgarro por una incisión quirúrgica.

Espermatozoide: Célula reproductora masculina producida en los testículos.

Expulsión: Segunda etapa del trabajo de parto o nacimiento del bebé.

Falopio (trompas de): Dos pequeñas estructuras en forma de tubos que se extienden a los lados del útero hacia el ovario izquierdo y el derecho. Cuando un óvulo maduro se expulsa del ovario, es recibido en una de las trompas.

Falsa labor: Contracciones irregulares del útero, lo suficientemente fuertes como para confundirse con una verdadera labor, pero que no borran ni dilatan el cérvix.

Familia: Institución básica de la sociedad formada por padre, madre e hijos.

Fertilización: Encuentro del óvulo con el espermatozoide en las trompas de Falopio.

Feto: Término científico que se aplica al bebé, desde las ocho semanas hasta el parto.

Foco fetal: Latido del corazón. Se registra a través de la pared abdominal. La frecuencia cardiaca fetal normal varía de 110 a a 160 latidos por minuto.

Fondo: Parte superior del útero grávido.

Fontanelas: Partes blandas en la cabeza de los recién nacidos que permiten el amoldamiento necesario durante el parto. La fontanela mayor en la parte superior de la cabeza cierra hacia los 18 meses, mientras que la fontanela triangular en la parte posterior de la cabeza cierra hacia los tres meses de vida.

Fórceps: Instrumento médico para facilitar el nacimiento de la cabeza del bebé cuando hay dificultades obstétricas.

Ginecobstetra: Médico especialista que asiste a la mujer en el embarazo y en el parto.

Hociqueo: Reflejo de búsqueda que tiene todo recién nacido cuando se le acaricia la mejilla o los labios.

Implantación: Proceso mediante el cual el huevo fecundado se anida en el útero.

Inducción: Iniciación del trabajo de parto por medio de un oxitócico (pitocina u oxitocina). Se administra por vía intravenosa a través del suero.

Intravenoso (venoclisis): Administración de solución estéril (suero) a través de la vena, con el propósito de hidratar, alimentar o medicar.

Involución: Retorno del útero a su tamaño normal antes del embarazo y que toma alrededor de seis semanas.

Kristeller: Maniobra mediante la cual el médico empuja el vientre de la madre para ayudar al bebé a nacer.

Lactancia: Alimentación del bebé a través del seno materno.

Loquios: Exudado mucosanguinolento que sale del útero, durante el puerperio.

Lordosis (lumbar): curvatura normal de la columna formada por las 5 vértebras lumbares.

Mareos matinales: Náuseas y vómitos que, a veces, se producen por las mañanas al levantarse de la cama. Uno de los síntomas característicos del embarazo.

Máscara o paño del embarazo: Pigmentación morena de frente, nariz, mejillas; se presenta durante el embarazo (cloasma).

Mastitis: Absceso infectado en la glándula mamaria.

Mecanismo del parto: Serie de actividades coordinadas cuyo resultado es lograr la realización del parto.

Meconio: Contenido intestinal del recién nacido. Masa formada por mezcla de mucosidades: bilis, células epiteliales y líquido amniótico; es de consistencia espesa y pegajosa. Suele terminarse de evacuar hacia el tercer día del nacimiento; su color es casi negro.

Membranas: Bolsa de las aguas.

Moco: Tapón mucoso que bloquea el canal cervical previniendo infecciones durante el embarazo.

Moldeamiento: Conformación de la cabeza fetal para ajustarse al tamaño y a la forma del conducto o canal de parto.

Monitoreo: Control electrónico de las contracciones y del latido del corazón fetal.

Multípara: Mujer que ha dado a luz varias veces.

Neuromuscular (control): Habilidad para lograr conscientemente un control en los músculos.

Ovario: Órgano reproductor femenino, en donde se desarrolla el óvulo.

Ovulación: Liberación mensual de un óvulo maduro procedente del ovario.

Óvulo: Célula reproductora femenina.

Oxitocina: Hormona que provoca las contracciones uterinas para el parto y el reflejo de emisión de la leche durante la lactancia.

Parto: Acto o proceso de parir.

Parto distócico: Parto difícil, con problemas obstétricos.

Parto espontáneo: El que no requiere ayuda externa.

Parto eutócico: Producido de manera natural, con facilidad y sin riesgo.

Parto falso: Contracciones que no dilatan ni borran el cuello y que no aumentan su intensidad al caminar. La sensación de las contracciones es en la parte anterior del abdomen y en la ingle.

Parto psicoprofiláctico: Designación que se usa para indicar que una mujer ha recibido enseñanza preparatoria para que pueda participar de manera consciente y activa en el nacimiento de su hijo, sin anestesia, utilizando recursos como respiraciones, relajación y participación activa del marido; así como distintos recursos para el manejo del dolor, con estrategias no medicamentosas.

Parto verdadero (trabajo de parto): Contracciones regulares que se incrementan al moverse o caminar. Se sienten en la región lumbar y luego adelante. Al hacer un tacto vaginal hay borramiento y dilatación del cuello uterino.

Pelvis: Anillo óseo que une la espina y las piernas. Su abertura central forma las paredes del canal del parto, que el bebé tiene que atravesar para nacer.

Pelvimetría: Medida de los diámetros pélvicos por medio de rayos X.

Periné: Músculo localizado entre el introito de la vagina y el ano.

Pezón: Parte del seno materno por donde fluye la leche al exterior.

Piso pélvico: Periné. Músculos y ligamentos en forma de hamaca que sostienen a los órganos de la pelvis y que rodean al introito vaginal y al ano.

Placenta: Órgano plano de forma oval y consistencia esponjosa que durante el embarazo sirve para nutrir al bebé y eliminar sus desechos.

Plétora: Congestionamiento e inflamación de los conductos galactóferos que provoca molestia debido al exceso de leche almacenada en los senos.

Presentación anterior: Cuando la espalda del bebé descansa sobre la pared abdominal de la madre y la cara del bebé mira hacia las nalgas de la madre.

Presentación posterior: Cuando la espalda del bebé descansa sobre la espina dorsal de la madre y la cara del bebé mira hacia el vientre de la madre.

Primera etapa del trabajo de parto: Borramiento y dilatación del cuello.

Primípara: Mujer que pare por primera vez.

Puerperio: Etapa inmediata posterior al alumbramiento.

Relajación: Estado neuromuscular de reposo absoluto.

Respiración: Función fisiológica que ingresa oxígeno al organismo y expulsa dióxido de carbono.

Segunda etapa del trabajo de parto: Expulsión o nacimiento del bebé. Es el periodo que abarca desde los 10 cm de dilatación hasta el nacimiento.

Sondeo vesical: Método utilizado para vaciar la vejiga insertando en la uretra un tubo maleable o sonda.

Tapón mucoso: Flujo vaginal muy espeso que sella el cuello, es expulsado al comenzar el trabajo de parto y puede estar teñido con sangre vieja o nueva debido a pequeñas rupturas de la mucosa vaginal.

Tercera etapa del trabajo de parto: Alumbramiento. Expulsión de la placenta.

Transición: Parte final de la primera etapa del trabajo de parto (de los 8 a los 10 cm de dilatación). Es la fase más intensa. Las contracciones se caracterizan por ser más largas, fuertes y seguidas.

Tricotomía: Rasurado del vello púbico.

Ultrasonido: Método para determinar la edad fetal, tamaño y posición de la placenta, sexo, etc., transformando la onda ultrasónica en imágenes visibles con claridad o en sonido de los ruidos cardiacos del bebé.

Umbilical (cordón): Cordón que conecta al bebé con la placenta para nutrirlo y excretar desechos.

Uretra: Conducto que lleva la orina de la vejiga hacia fuera del cuerpo.

Útero (matriz): Órgano muscular en forma de pera que consta de fondo, cuerpo y cuello (cérvix). Es donde se aloja el bebé durante el embarazo.

Vagina: Canal del parto, muy elástico, que mide aproximadamente 5 cm de longitud desde la vulva al cérvix. Es el órgano de la cópula.

VBAC: Siglas en inglés cuyo significado es "parto vaginal después de una cesárea".

Vérnix caseosa: Material seboso que cubre y protege la piel del bebé dentro del útero, de color blanco, llamado crema del bebé.

Bibliografía

Con estas fuentes sustentamos lo dicho en el libro. Cada una de estas logró motivarnos y entender este maravilloso proceso de lo que significa ser mamá.

Balaskas, Janet, *Active Birth*, Harvard Common Press, Beverly, 1992.

Bettelheim, Bruno, *Psicoanálisis de los cuentos de hadas*, Grijalbo, México, 1988.

Bing, Elizabeth y Lobby Colman, *El amor durante el embarazo*, Pax, México, 1990.

—, *Having a Baby After 30*, Bantam Books, Nueva York, 1980

Block, Jennifer, *Pushed*, Da Capo Press, Boston, 2007.

Bradley, Robert, *Participación del hombre en el parto natural*, Pax, México, 1977.

Brazelton, T., *Working and Caring*, Addison-Wesley Publishing, 1987.

Cain, Kathy, *Partners in Birth*, Warner Books, Nueva York, 1990.

Calais-Germain, Blandine, *La respiración*, La liebre de marzo, Barcelona, 2006.

—, *El periné femenino y el parto*, Editorial Obstare, 1998.

Calderone S., M. Eric y W. Jonson, *The Family Book about Sexuality*, Harper and Row Publishers, Nueva York, 1981.

Clínica Mayo, *Guía para un embarazo saludable*, Intersistemas, México, 2012.

Coleman W., Christine y Wendy Roe Hovey, *Cesarean Childbirth, A hand book for parents*, Signet, Nueva York, 1981.

Corkille Briggs, Dorothy, *El niño feliz*, Gedisa, Barcelona, 1981.

Dana, Jacqueline y Sylvie Marion, *Nueve meses en la vida de una pareja*, Daimon, Sevilla, 1973.

Eiger, Marvin S. y Rally Olds Wendkos, *The Complete Book of Breastfeeding*, Bantam Books, Nueva York, 1981.

Enciclopedia del preescolar, *Jugar y aprender,* Altea, Barcelona, 1983.

Ewy, Donna, *A Lamaze Guide "Preparation for Childbirth"*, Pruett Publishing, Colorado, 1982.

Fernández del Castillo, Isabel, *La nueva revolución del nacimiento*, Editorial Obstare, 2017.

Flamm L., Bruce, *Birth alter Cesarean. The medical facts*, Prentice Hall Press, Nueva York, 1990.

Frederick, Leboyer, *Nacimiento sin violencia*, Daimon, Sevilla, 1974.

Gaskin, Ina May, *La guía del parto,* Capitan Swing, 2016.

Ginott, Haim, *Between Parent and Child*, Avon, Nueva York, 1969.

Goldsmith, Judith, *Childbirth Wisdom,* East West Health Books, Nueva York, 1990.

González, Nuria, *Y Rafa se vuelve invisible*, Cuentos del rincón, SEP, México, 1986.

Grad, Rae, Deborah Bash, Ruth Guyer et al., *The Father Book. Pregnancy and Beyond*, Acrópolis Books Ltd., Santa Bárbara, Estados Unidos, 1981.

Howard, Shapiro, *The Pregnancy Book for Today's Woman,* Harper and Row Publishers, Nueva York, 1983.

Jalil, Gibrán, *Obras selectas*, Patria, Montevideo, 1980.

Karmel, Marjorie, *Thank You, Dr. Lamaze*, Harper Colophon Books, Nueva York, 1983.

Kerkhoff Gromada, Karen, *Mothering Multiples*, La Leche League International, Ballantine Books, Nueva York, 1985.

Kitzinger, Sheila, *The Complete Book of Pregnancy and Chilbirth*, Knopf, Nueva York, 1989.

—, *Education and Counseling for Childbirth*, Schocken Books, Nueva York, 1979.

—, *The Experience of Childbirth*, Penguin Books, Estados Unidos, 1988.

Kitzinger, Sheila y Simkin, Penny, *Episiotomy and the Second Stage of Labor,* Penny Press, Seattle, 1990.

Korte, Diana y Roberta Scaez, *A Good Birth a Safe Birth*, Bantam Books, Nueva York, 1990.

Kroeger, Mary, *Impact of Birthing Practices on Breastfeeding*, Jones and Barlett, Burlington, Canadá, 2004.

Lamaze, Fernand, *Painless Childbirth. The Lamaze Method*, Pocket Books, Nueva York, 1972.

Lara Cantú, María Asunción, *¿Es difícil ser mujer?*, Pax, México, 1997.

Lara, María Asunción y Teresa García Hubard, *Despertando tu amor para recibir a tu bebé*, Pax, México, 2009.

Leach, Penélope, *Your Baby and Child*, Knopf, Nueva York, 1990.

—, *Su bebé y su niño*, Knopf, Madrid, 1984.

Leboyer, Frederick, *Nacimiento sin violencia*, Daimon, Sevilla, 1974.

Lieberman, Adrienne, *Easing labor pain*, Doubleday and Company, Nueva York, 1987.

Liga de la leche en México, *El arte femenino de amamantar*, Diana, México, 1990.

—, *El arte femenino de amamantar,* La liga de la leche, México, 2017.

Liga de la leche League International, *The Womanly Art of Breastfeeding*, Ballantine Books, Nueva York, 2010.

Lothian, Judith y Charlotte DeVries, *The official Lamaze Guide*, Meadowbrook Press, Minnetonka, Estados Unidos, 2010.

—, *Giving Birth with Confidence*, Meadowbrook Press, 2017.

Meeker, Meg, *Strong Fathers, Strong Daughters*, Ballantine Books, Nueva York, 2007.

—, *Boys Should be Boys*, Ballantine Books, Nueva York, 2009.

—, *Strong Mothers, Strong Sons*, Ballantine Books, Nueva York, 2014.

Meneses Morales, Ernesto, *Educar comprendiendo al niño*, Trillas, México, 1964.

Messenger, Máire, *The Breastfeeding Book*, Van Nostrand Reinhold Company, Nueva York, 1981.

Montagu, Ashley, *Touching, The Human Significance of The Skin*, Harper & Row Publishers, Estados Unidos, 1978.

Montessori, María, *El niño. El secreto de la infancia*, Ediciones Araluce, Barcelona, 1966.

Neufeld, Gordon y Gabor Maté, *Regreso al vínculo familiar*, Hara Press, Estados Unidos, 2008.

Newman, Jack, *The Latch and other Keys to Breastfeeding Success*, Hale Publishing, Plano, Estados Unidos, 2006.

—, *Doctor Jack Newman's Guide to Breastfeeding*, Pinter and Martin, Revisión de edición, 2015.

Nichols, Francine H. y Sharon, Humenick, *Childbirth Education Practice, Research and Theory*, WB Saunders, Filadelfia, 1988.

Noble, Elizabeth, *Essential Exercises For the Childbirth Year*, Houghton Mifflin, Boston, 1982.

Odent, Michel, *La Cientificación del Amor*, Creavida, Buenos Aires, 2001.

—, *El nacimiento en la era del plástico*, Editorial Obstare, 2011.

—, *Sobreviviendo la medicina, ¿hasta cuándo?*, Editorial Obstare, 2017

Olza, Ibone, *Parir. El poder del parto*, Editorial Sipan, Barcelona, 2017.

Panuthos, Claudia, *Transformation Through Birth*, Bergin & Garvey, South Harley, Estados Unidos, 1984.

Presser, Janice y Gail Brewer Sforza, *Breastfeeding*, Alfred Knopf, Nueva York, 1983.

Read, Grantly Dick, *Childbirth Without Fear*, Harper Colophon Books, Nueva York, 1978.

Reeder, S., L. Mastroianni, L., Martin, *Enfermería materna infantil*, Harla, México, 1988.

Reyes, Horacio y Aurora Martínez, *Lactancia Humana*, Editorial Panamericana, México, 2011.

Rojas, Enrique, *La Conquista de la Voluntad,* Temas De Hoy, Planeta, México, 1998.

Romero, Fidel, Alicia Fontanillo, Esther Velasco, *Parto emocional. Vivir y acompañar el nacimiento*, Editorial Obstare, 2013.

Ruiz Velez-Frías, Consuelo, *Parir sin miedo*, Ob Stare, Santa Cruz de Tenerife, 2010.

Sadler, Michelle y Sol Díaz, *Historia ilustrada de un embarazo*, Cataluña, 2017.

Schallman, Raquel, *Parir en libertad. En busca del poder perdido*, Grijalbo, Buenos Aires, 2017.

Schmid, Verena, *El dolor en el parto*, Editorial Obstare, Santa Cruz de Tenerife, 2012.

—, *El dolor del parto. Una nueva interpretación de la fisiología y la función del dolor*, Editorial Obstare, 2016.

Schmidt, Verena, Simkin, Penny, Janet Whalley, AnnKeppler, *Pregnancy, Childbirth and the New Born*, Merdowbrook Press, 2010.

Serrano, Ana María, *Inteligencias múltiples y estimulación temprana*, Trillas, México, 2003.

Simkin, Penny, J. Whalley y A. Keppler, *Pregnancy, Childbirth and The New Born*, Meadowbook Press, Minnetonka, Estados Unidos, 2010.

Stoppard, Miriam, *Conception, Pregnancy and Birth*, Dorling Kindersley, Londres, 1993.

Uvnäs Moberg, Kirsten, *Oxitocina. La hormona de la calma, el amor y la sanación*, Obelisco, Barcelona, 2009.

—, *Oxitocyn,* Praeclarus Press, 2016.

Vives Parés, Nuria y Blandine Calais-Germain, *Parir en movimiento*, La liebre de marzo, España, 2009.

Vellay, Pierre, *Parto sin dolor. Método Psicoprofiláctico*, Azteca, México, 1974.

Velvoski, I., K. Platónov, V. Ploticher, E. Shugom, *Psicoprofilaxis de los dolores de parto*, Ediciones en Lenguas Extranjeras, Moscú, 1963.

Asociaciones que pueden
orientar a los futuros padres

ANIPP, Asociación Nacional de Instructoras en Psicoprofilaxis Perinatal, A. C.
Francisco Petrarca 416, Polanco, CDMX
contacto@anipp.org.mx
‹www.anipp.org.mx›.

Aprolam A. C. (Asociación Prolactancia Materna)
‹www.aprolam.com.mx›.

Dona Internacional
‹www.dona.org›.

Especialidad en Educación Perinatal
Universidad Anáhuac, Facultad de Educación
‹www.anahuac.mx›.

Hospital Materno Infantil – Centro de Educación Perinatal CIMIGEN
5   Av. Tláhuac 1004, CDMX, 56 56 57 78
contacto@cimigen.org.mx

Lamaze internacional
‹www.lamaze.org›.

Liga de la Leche Internacional
‹www.llli.org›.
‹http://laligadelaleche.org.mx›.

Organizaciones que pueden apoyarte
a ti y a tu hijo en situaciones difíciles de enfrentar

Yoliguani ‹www.yoliguani.org.mx›.
Vida y familia ‹www.vifac.org.mx›.
Mater filius ‹www.materfilius.org.mx›.

Notas